D0541625

COLLECTION FOLIO

Julian Barnes

Une fille, qui danse

*Traduit de l'anglais
par Jean-Pierre Aoustin*

Mercure de France

Titre original :

THE SENSE OF AN ENDING
(Jonathan Cape, Londres)

© *Julian Barnes, 2011.*
© *Mercure de France, 2013, pour la traduction française.*

Julian Barnes est né à Leicester en 1946. Le plus brillant et le plus célèbre des romanciers anglais contemporains est l'auteur de plusieurs romans traduits en plus de quarante langues dont *Le perroquet de Flaubert* (prix Médicis essai), *Love, etc.* (prix Femina étranger), *England, England* et *Arthur & George*; de recueils de nouvelles et d'essais, de livres de cuisine, *Un homme dans sa cuisine* entre autres et, sous le nom de Dan Kavanagh, de quatre polars. Julian Barnes est aussi à l'occasion traducteur d'Alphonse Daudet. Il a reçu le prix David Cohen en 2011 pour l'ensemble de son œuvre. *Une fille, qui danse* a reçu le Man Booker Prize en 2011.

pour Pat

I

Je me souviens, sans ordre particulier :

– d'une face interne de poignet luisante ;

– d'un nuage de vapeur montant d'un évier humide où l'on a jeté en riant une poêle brûlante ;

– de gouttes de sperme tournoyant dans l'eau autour d'un trou de lavabo, avant d'être entraînées tout le long de la canalisation d'une haute maison ;

– d'un fleuve semblant soudain se ruer absurdement vers l'amont, sa vague et ses remous éclairés par une demi-douzaine de faisceaux de torches lancés à sa poursuite ;

– d'un autre fleuve, large et gris, le sens de son courant occulté par une forte brise agitant la surface ;

– d'une eau depuis longtemps refroidie dans une baignoire derrière une porte verrouillée.

Ce dernier souvenir n'est pas quelque chose que j'ai réellement vu, mais ce qui reste finalement en mémoire n'est pas toujours ce dont on a été témoin.

Nous vivons dans le temps — il nous tient et nous façonne —, mais je n'ai jamais eu l'impression de bien le comprendre. Et je ne parle pas de théories selon lesquelles il pourrait se replier en boucle, ou exister ailleurs dans des versions parallèles. Non, je pense au temps ordinaire, quotidien, celui dont les horloges et les montres nous assurent qu'il s'écoule d'une façon régulière : tic-tac, tic-tac. Quoi de plus logique qu'une aiguille des secondes ? Et pourtant, il suffit du moindre plaisir ou de la moindre peine pour nous faire prendre conscience de la malléabilité du temps. Certaines émotions l'accélèrent, d'autres le ralentissent ; parfois, il semble disparaître — jusqu'à l'instant fatal où il disparaît vraiment, pour ne jamais revenir.

Mes années de lycée ne m'intéressent guère, et ne m'inspirent aucune nostalgie. Mais c'est là que tout a commencé, aussi dois-je revenir brièvement à quelques incidents qui se sont mués en anecdotes, à quelques souvenirs approximatifs dont le temps a fait des certitudes. Si je ne peux plus être sûr des faits réels, au moins puis-je être fidèle aux impressions qu'ils ont laissées. C'est le mieux que je puisse faire.

Nous étions trois copains, et il était maintenant le quatrième. Nous n'avions pas prévu un tel ajout à notre trio : les petits clans et les amitiés s'étaient formés longtemps auparavant, et nous commencions déjà à imaginer notre évasion dans la vraie vie. Il s'appelait Adrian Finn : un grand garçon réservé qui garda tout d'abord les yeux baissés, et ses pensées pour lui-même. Pendant un jour ou deux, nous fîmes peu attention à lui : dans notre école il n'y avait pas de cérémonie de bienvenue, et encore moins de son contraire, le bizutage. Nous nous contentâmes de noter sa présence et d'attendre.

Les professeurs s'intéressaient plus à lui que nous ; ils devaient évaluer son intelligence et son sens de la discipline, ainsi que le niveau de l'enseignement précédemment reçu, et voir s'il avait l'étoffe d'un futur boursier. Le troisième matin de ce trimestre d'automne, nous eûmes un cours d'histoire avec le vieux Joe Hunt, ironiquement affable dans son costume trois pièces, un prof dont le système de contrôle dépendait du maintien en classe d'un ennui suffisant mais pas excessif.

« Vous vous rappelez que je vous avais demandé de faire quelques lectures préliminaires sur le règne d'Henri VIII. » Colin, Alex et moi échangeâmes de furtifs coups d'œil, espérant que la question ne tomberait pas, telle une mouche de pêcheur à la truite, sur l'un de nous. « Qui voudrait esquisser une peinture de l'époque ? » Il tira sa propre conclusion de nos regards détournés. « Eh bien, Marshall, peut-être. Comment décririez-vous le règne d'Henri VIII ? »

Notre soulagement fut plus grand que notre curiosité, parce que Marshall était un cancre prudent qui n'avait pas l'inventivité de la vraie ignorance. Il chercha d'éventuelles complexités cachées dans la question avant d'oser une réponse :

«Il y avait des troubles, m'sieur.»

Éclosion de petits sourires narquois à peine réprimés; Hunt lui-même sourit presque.

«Voudriez-vous, peut-être, développer quelque peu?»

Marshall acquiesça en hochant lentement la tête, réfléchit un peu plus, et décida que le moment n'était pas à la prudence.

«Je dirais qu'il y avait de grands troubles, m'sieur.

— Finn, alors. En savez-vous plus sur cette période?»

Le nouveau venu était assis juste devant moi sur ma gauche. Il n'avait laissé voir aucune réaction aux sottises de Marshall.

«Pas vraiment, monsieur… Mais il existe une ligne de pensée selon laquelle tout ce qu'on peut réellement dire de tout événement historique, même le déclenchement de la Première Guerre mondiale, par exemple, est qu'il s'est "passé quelque chose".

— Vraiment? Eh bien, voilà qui me mettrait au chômage, non?» Après quelques rires obséquieux, le vieux Hunt pardonna notre oisiveté de vacances et nous dit ce qu'on devait savoir sur le boucher royal polygame.

À la récré suivante, je m'approchai de Finn. « Je m'appelle Tony Webster. » Il me regarda avec circonspection. « Chouette réplique à Hunt. » Il ne parut pas savoir de quoi je parlais. « Au sujet de "il s'est passé quelque chose".

— Ah. Oui. J'ai été assez déçu qu'il n'en discute pas. »

Ce n'était pas ce qu'il était censé dire.

Un autre détail dont je me souviens : Alex, Colin et moi portions, en manière de symbole de notre lien d'amitié, notre montre sur la face interne du poignet. C'était une affectation, bien sûr, mais peut-être quelque chose de plus ; le temps donnait ainsi l'impression d'être une chose personnelle, et même secrète. Nous pensions qu'Adrian le remarquerait, et ferait de même ; mais il n'en fit rien.

Plus tard ce jour-là — ou peut-être un autre jour —, nous eûmes un long cours d'anglais avec Phil Dixon, un jeune prof frais émoulu de Cambridge. Il aimait utiliser des textes contemporains, et lançait parfois de brusques défis. « Naissance, copulation, et mort : voilà à quoi, selon T. S. Eliot, tout se résume. Des commentaires ? » Il compara une fois un héros shakespearien à Kirk Douglas dans *Spartacus*. Et je me rappelle cette façon qu'il eut, un jour où nous discutions de la poésie de Ted Hughes, de mur-

murer en penchant la tête sur le côté comme un ponte d'Oxford : «Bien sûr, nous nous demandons tous ce qui se passera quand il sera à court d'animaux.» Parfois il s'adressait à nous en disant «Messieurs». Naturellement, nous l'adorions.

Cet après-midi-là, il distribua un poème sans titre, ni date, ni nom d'auteur, nous donna dix minutes pour l'étudier, puis s'enquit de nos réactions.

«Commencerons-nous par vous, Finn? Formulé simplement, de quoi diriez-vous qu'il *s'agit* dans ce poème?»

Adrian leva les yeux de son pupitre.

«Éros et Thanatos, monsieur.

— Hmm. Continuez.

— Sexe et mort, précisa Finn comme si ce n'étaient pas seulement les crétins du dernier rang qui ne comprenaient pas le grec. Ou amour et mort, si vous préférez. Le principe érotique, en tout cas, entrant en conflit avec le principe de mort. Et ce qui résulte de ce conflit. Monsieur.»

J'avais sans doute l'air plus impressionné que Dixon ne le jugeait bon pour moi.

«Webster, apportez-nous vos lumières.

— Je pensais que c'était un poème sur un hibou, m'sieur.»

C'était une des différences entre nous trois et notre nouvel ami : nous étions foncièrement déconneurs, sauf quand nous étions sérieux ; il était foncièrement sérieux, sauf quand il blaguait. Il nous a fallu un bon moment pour le comprendre.

Adrian se laissa intégrer à notre petit clan, sans reconnaître que c'était ce qu'il cherchait. Peut-être ne le cherchait-il pas. Il ne modifia pas non plus ses opinions pour les accorder avec les nôtres. Pendant les prières du matin, il joignait sa voix aux répons, tandis qu'Alex et moi nous contentions de bouger les lèvres, et que Colin préférait l'ironique stratagème du mugissement enthousiaste du pseudo-dévot. Nous voyions tous les trois dans le sport scolaire une intention cryptofasciste de réprimer notre énergie sexuelle ; Adrian adhéra au club d'escrime, et faisait aussi du saut en hauteur. Nous étions agressivement sourds à toute mélodie ; il venait au lycée avec sa clarinette. Quand Colin dénonçait la famille, quand je raillais le système politique, ou qu'Alex énonçait des objections philosophiques à la nature de la réalité telle qu'elle est perçue, Adrian gardait ses opinions pour lui — dans un premier temps, du moins. Il donnait l'impression de croire aux choses. Nous y croyions aussi — c'était seulement que nous voulions croire à nos propres choses, plutôt qu'à ce qui avait été décidé pour nous. D'où ce que nous considérions comme notre scepticisme purificateur.

Le lycée se trouvait dans le centre de Londres, et chaque jour nous y venions de nos différents quartiers, passant d'un système de contrôle à un autre. À l'époque, les choses étaient plus simples : moins d'argent, pas de gadgets électroniques, peu de tyrannie de la mode, pas de petites amies. Il n'y avait rien pour nous distraire de notre devoir humain et filial qui était d'étudier, de passer les examens, d'utiliser les qualifications obtenues pour trouver un emploi, et puis d'adopter un mode de vie d'un inoffensif mais plus grand raffinement que celui de nos parents, qui approuveraient, tout en le comparant en eux-mêmes à celui de leur propre jeunesse, qui avait été plus simple, et donc supérieur. Rien de tout cela, bien sûr, n'était jamais dit : le très convenable darwinisme social des classes moyennes anglaises restait toujours implicite.

«Foutus salopards, les parents, se plaignit Colin un lundi à l'heure du déjeuner. On croit qu'ils sont chouettes quand on est petit, et puis on se rend compte qu'ils sont comme...

— Henri VIII, Col?» suggéra Adrian. Nous commencions à nous habituer à son sens de l'ironie; et au fait que celle-ci pouvait être tournée aussi contre nous. Quand il nous taquinait, ou voulait nous ramener à plus de sérieux, il m'appelait Anthony; Alex devenait Alexander, et «Colin», impossible à rallonger, était abrégé en «Col».

«Ça ne me gênerait pas que mon père ait une demi-douzaine d'épouses.

— Et soit incroyablement riche.

— Et que son portrait soit peint par Holbein.

— Et qu'il dise au pape d'aller se faire foutre.

—Y a-t-il une raison particulière pour laquelle ils sont ce que tu as dit? demanda Alex à Colin.

— Je voulais qu'on aille à la fête foraine. Ils ont dit qu'ils devaient passer le week-end à jardiner.»

Pas de doute : foutus salopards. Sauf pour Adrian, qui écoutait nos dénonciations, mais s'y joignait rarement. Et pourtant, nous semblait-il, il avait plus de motifs que la plupart de le faire. Sa mère était partie quelques années plus tôt, laissant son mari s'occuper de lui et de sa sœur. C'était bien avant que l'expression «famille monoparentale» ne commence à être employée; à l'époque, c'était un «foyer brisé», et Adrian était, de tous ceux que nous connaissions, le seul dans ce cas. Cela aurait dû lui donner une bonne réserve de rage existentielle, mais en fait non; il disait qu'il aimait sa mère et respectait son père. Notre trio examina son cas et avança la théorie que la clef d'une heureuse vie de famille était qu'il n'y ait pas de famille — ou, du moins, pas de famille vivant sous le même toit. Ayant fait cette analyse, nous enviâmes encore plus Adrian.

En ce temps-là nous nous voyions comme des garçons maintenus dans quelque enclos, attendant d'être lâchés dans la vraie vie. Et quand ce moment viendrait, notre vie — et le temps lui-même — s'accélérerait. Comment pouvions-nous savoir que la vraie vie avait de toute façon commencé, que certains avantages avaient déjà été acquis, certains dégâts déjà infligés ? Et que notre libération nous ferait seulement passer dans un plus vaste enclos, dont les frontières seraient d'abord invisibles.

En attendant, nous étions affamés de livres et de sexe, *méritocrates* et anarchistes. Tous les systèmes politiques et sociaux nous paraissaient corrompus, mais nous refusions d'envisager une autre alternative qu'un chaos hédoniste. Adrian, cependant, nous incitait à croire à l'application de la pensée à la vie, à l'idée que des principes devraient guider nos actes. Jusque-là, Alex avait été considéré comme le philosophe parmi nous ; il avait lu des choses que les deux autres n'avaient pas lues, et il pouvait, par exemple, déclarer soudain : « Ce dont on ne peut parler, il faut le taire. » Colin et moi examinions un moment cette idée en silence, puis on souriait et on continuait à parler. Mais maintenant l'arrivée d'Adrian délogeait Alex de sa position — ou plutôt, nous offrait un autre choix de philosophes. Si Alex avait lu Russell et Wittgenstein, Adrian avait lu Camus et Nietzsche. J'avais lu George Orwell et Aldous Huxley ; Colin avait lu Baudelaire et Dostoïevski. Ce n'est là qu'une légère caricature.

Oui, bien sûr, nous étions prétentieux — n'est-ce pas le propre de la jeunesse ? Nous employions des termes comme *Weltanschauung* et *Sturm und Drang*, aimions dire : « C'est philosophiquement évident », et nous nous répétions que le premier devoir de l'imagination est d'être transgressive.

Nos parents voyaient les choses différemment, s'imaginant leurs enfants comme des innocents soudain exposés à de mauvaises influences. Ainsi la mère de Colin parlait de moi comme de l'«ange noir» de son fils; mon père blâma Alex le jour où il me trouva plongé dans la lecture du *Manifeste communiste*, Colin était pointé du doigt par les parents d'Alex quand ils surprenaient celui-ci avec un polar américain «noir» dans les mains. Et ainsi de suite. *Idem* avec le sexe. Nos parents pensaient que chacun de nous pouvait être corrompu par les autres et devenir ce qu'ils craignaient le plus pour nous : un incorrigible masturbateur, un séduisant homosexuel, un libertin risquant d'engrosser imprudemment une de ses conquêtes. Ils redoutaient pour nous l'intimité des amitiés adolescentes, le comportement prédateur d'inconnus dans les trains, l'attrait de la mauvaise sorte de fille. Comme leurs anxiétés excédaient notre expérience…

Un après-midi, le vieux Joe Hunt, comme pour relever le défi d'Adrian, nous demanda de débattre des origines de la Première Guerre mondiale et, en particulier, de la responsabilité de l'assassin de l'archiduc François-Ferdinand dans le déclenchement de toute l'affaire. Nous étions alors pour la plupart des absolutistes : nous aimions les oppositions tranchées, Oui contre Non, Éloge contre Blâme, Culpabilité contre Innocence — ou, dans le cas de Marshall,

Troubles contre Grands Troubles. Nous aimions la partie qui se terminait par une victoire ou une défaite, pas un match nul. Et donc, pour certains, le tueur serbe, dont le nom est depuis longtemps sorti de ma mémoire, avait cent pour cent de responsabilité individuelle : retirez-le de l'équation, et la guerre n'aurait jamais eu lieu. D'autres préféraient la totale responsabilité des forces historiques qui avaient entraîné les nations antagonistes vers l'inévitable collision : «L'Europe était une poudrière attendant d'exploser», etc. Les plus anarchistes, comme Colin, soutenaient que tout dépendait du hasard, que le monde existait dans un état de chaos perpétuel, et que seul quelque instinct narratif primitif, lui-même peut-être un vestige religieux, imposait rétrospectivement un sens à ce qui avait pu ou non se produire.

Hunt ponctua d'un bref hochement de tête la tentative verbale de Colin pour tout saper, comme un homme qui pense que l'incrédulité morbide est un attribut naturel de l'adolescence, quelque chose à dépasser. Les maîtres et les parents nous rappelaient d'une façon irritante qu'ils avaient été jeunes aussi, et pouvaient donc parler avec autorité. «C'est juste une phase, insistaient-ils. Ça te passera, la vie t'apprendra la réalité et le réalisme.» Mais nous refusions alors d'admettre qu'il y eût jamais rien eu de semblable à nous, et nous savions que nous comprenions la vie — et la vérité, et la morale, et l'art — bien plus clairement que nos aînés compromis.

«Finn, vous n'avez rien dit. C'est vous qui avez lancé cette discussion. Vous êtes, pour ainsi dire, notre tueur serbe.» Hunt marqua une pause pour laisser l'allusion faire son effet. «Voudriez-vous nous accorder le fruit de vos réflexions?

— Je ne sais pas, monsieur.

— Qu'est-ce que vous ne savez pas?

— Eh bien, dans un sens, je ne peux pas savoir ce que je ne sais pas. C'est philosophiquement évident.» Il laissa un de ces brefs silences dont il était coutumier, pendant lequel nous nous demandâmes une nouvelle fois s'il s'agissait d'une subtile moquerie ou au contraire d'un sérieux qui nous dépassait tous. «À vrai dire, toute cette affaire d'attribuer une responsabilité n'est-elle pas une sorte d'échappatoire? Nous voulons incriminer un individu pour que tous les autres soient disculpés. Ou nous incriminons un processus historique de façon à disculper des individus. Ou bien tout n'est que chaos anarchique, avec la même conséquence. Il me semble qu'il y a — avait — une chaîne de responsabilités individuelles, toutes nécessaires, mais pas une chaîne si longue que chacun puisse simplement blâmer tous les autres. Mais, bien sûr, mon désir d'attribuer une responsabilité pourrait être davantage un reflet de ma propre disposition d'esprit qu'une analyse équitable de ce qui s'est passé. C'est un des problèmes centraux de l'Histoire, n'est-ce pas, monsieur? La question de l'interprétation subjective contre une interprétation objective, le fait que nous ayons besoin de connaître l'histoire personnelle de l'historien pour comprendre la version qui nous est présentée.»

Il y eut un silence. Et non, il ne blaguait pas, pas du tout.

Le vieux Joe Hunt regarda sa montre et sourit.

«Finn, je prends ma retraite dans cinq ans. Et je serai heureux de vous recommander si vous voulez prendre la relève…» Et il ne plaisantait pas non plus.

Au rassemblement, un matin, le proviseur, de cette voix lugubre qu'il réservait aux cas d'expulsion ou de défaite sportive catastrophique, annonça qu'il était porteur d'une bien triste nouvelle, à savoir que Robson, de la terminale scientifique, était mort pendant le week-end. Sur un léger fond sonore de murmures consternés, il nous dit que Robson avait été fauché dans la fleur de l'âge, que sa disparition était une perte pour toute l'école, que nous allions tous être symboliquement présents à l'enterrement — tout, en fait, sauf ce que nous voulions savoir : comment, et pourquoi, et, au cas où il aurait été tué, par qui?

«Éros et Thanatos, commenta Adrian avant le premier cours de la journée. Thanatos gagne encore.

— Robson n'était pas vraiment du genre à être tourmenté par Éros et Thanatos», lui dit Alex. Colin et moi opinâmes. Nous le savions parce qu'il avait été dans notre classe pendant deux ou trois ans : un garçon posé, sans imagination, complètement indifférent aux arts, qui avait suivi cahin-caha son chemin sans offenser personne. Et voilà qu'il nous avait offensés en se faisant un nom grâce à une mort prématurée. La *fleur de l'âge*, en effet : le Robson qu'on avait connu avait quelque chose d'un légume.

Aucune mention ne fut faite d'une maladie, d'un accident de vélo ou d'une explosion de gaz, et, quelques jours plus tard, la rumeur (alias Brown de la terminale maths) nous apprit ce que les autorités ne pouvaient, ou ne voulaient, nous dire : Robson avait mis sa copine enceinte, s'était pendu dans le grenier, et n'avait été trouvé que deux jours plus tard.

« Je n'aurais jamais cru qu'il savait comment se pendre...

— Il était en terminale scientifique.

— Mais il faut une sorte spéciale de nœud coulant...

— Ça c'est seulement dans les films. Et pour les vraies exécutions. On peut le faire avec un nœud ordinaire. Ça prend juste plus de temps pour suffoquer.

— Quelle idée nous faisons-nous de sa copine? »

Nous considérâmes les options connues de nous : vierge (à présent ex-vierge) comme il faut, vendeuse de magasin vulgairement provocante, femme expérimentée, putain vérolée. Nous en discutâmes jusqu'à ce qu'Adrian réoriente l'intérêt que nous portions à l'affaire.

«Camus a dit que le suicide est la seule véritable question philosophique.

— Sans compter l'éthique et la politique et l'esthétique et la nature de la réalité et tout le reste…» Il y avait un certain tranchant dans la riposte d'Alex.

«La seule *vraie* question. La question fondamentale dont dépendent toutes les autres.»

Après une longue analyse du suicide de Robson, nous conclûmes qu'il ne pouvait être jugé philosophique que dans un sens arithmétique du terme : ledit Robson, étant la cause de la prochaine augmentation d'une unité de la population mondiale, avait décidé que son devoir moral était de maintenir le nombre constant. Mais, à tout autre égard, nous estimions que Robson nous avait en quelque sorte trahis — nous et la pensée sérieuse. Son acte avait été non philosophique, complaisant et inesthétique : autrement dit, fautif. Quant au mot qu'il avait laissé et qui, selon la rumeur (Brown encore), disait : «Pardon, maman», il nous semblait qu'il avait manqué une puissante occasion éducative.

Peut-être n'aurions-nous pas été aussi durs pour Robson s'il n'y avait pas eu un fait incontournable : Robson avait eu notre âge, il n'avait selon nos critères rien d'exceptionnel, et pourtant il s'était arrangé non seulement pour se trouver une petite amie, mais aussi, incontestablement, pour coucher avec elle. Foutu salopard ! Pourquoi lui et pas nous ? Pourquoi aucun de nous n'avait-il vécu même l'expérience de *ne pas réussir* à se dégoter une petite amie ? Au moins l'humiliation de l'échec aurait ajouté à notre connaissance du monde, nous aurait fourni de quoi nous vanter négativement. («En fait, ses mots exacts ont été "crétin pustuleux avec le charisme d'un pataugas."») Nous savions, par notre lecture de la grande littérature, que l'Amour implique la Souffrance, et nous aurions volontiers enduré quelque Souffrance, s'il y avait une promesse implicite, peut-être même logique, que l'Amour pourrait alors venir.

C'était une autre de nos craintes : que la Vie ne se révélerait pas être comme la Littérature. Voyez nos parents — étaient-ils matière à Littérature ? Au mieux, ils pouvaient aspirer à la condition de spectateurs : simples figurants d'une toile de fond sociale devant laquelle des choses réelles, vraies, importantes pouvaient se produire. Quelles choses ? Celles qui se rapportaient aux sujets mêmes de la Littérature : amour, sexe, morale, amitié, bonheur, souffrance, trahison, adultère, bien et mal, héros et scélérats, culpabilité et innocence, ambition, pouvoir, justice, révolution, guerre, pères et fils, mères et filles, individu contre société, réussite et échec, meurtre, suicide, mort, Dieu. Et hiboux. Bien sûr, il y avait d'autres genres de littérature — théorique, nombriliste, plaintivement autobiographique —, mais ils relevaient de la stérile branlette. La vraie littérature traitait de la vérité psychologique, affective et sociale mise en évidence par les actions et les réflexions de ses protagonistes ; le roman, c'étaient des personnages développés au fil du temps. C'est ce que Phil Dixon nous avait dit, en tout cas. Et la seule personne jusque-là — à part Robson — dont la vie contenait quelque chose de vaguement romanesque était Adrian.

« Pourquoi ta mère a-t-elle quitté ton père ?

— Je n'en sais trop rien.

— Ta mère avait un autre type ?

— Ton père était cocu ?

— Il avait une maîtresse ?

— Je ne sais pas. Ils m'ont dit que je comprendrais quand je serais plus âgé.

— C'est ce qu'ils promettent toujours. Pourquoi ne pas l'expliquer *maintenant*, voilà ce que je dis ! » Sauf que je n'avais jamais dit ça. Et ma famille, à ma connaissance, ne recelait aucun mystère, à ma honte et déception.

« Peut-être que ta mère a un jeune amant ?

— Comment le saurais-je ? On ne se voit jamais là-bas. Elle vient toujours à Londres. »

C'était sans espoir. Dans un roman, Adrian n'aurait pas accepté les choses telles qu'elles lui étaient présentées. À quoi bon se trouver dans une situation digne d'un roman, si le protagoniste ne se comporte pas comme il le ferait dans un livre ? Il aurait dû mener sa petite enquête, ou économiser son argent de poche et engager un détective privé. Peut-être aurions-nous dû nous lancer tous les quatre dans une Quête pour découvrir la Vérité. Ou cela aurait-il moins tenu de la Littérature que de la Bibliothèque verte ?

Pendant notre dernier cours d'histoire de l'année, le vieux Joe Hunt, qui avait guidé ses élèves léthargiques à travers le temps — les Tudors et les Stuarts, les Victoriens et les Édouardiens, l'essor de l'Empire et son déclin —, nous invita à contempler tous ces siècles et à tenter d'en tirer certaines conclusions.

« Nous pourrions commencer, peut-être, par cette question apparemment simple : qu'est-ce que l'Histoire ? Des idées, Webster ?

— L'Histoire, ce sont les mensonges des vainqueurs, répondis-je un peu trop vite.

— Oui, je craignais un peu que vous ne disiez cela. Bon, à condition que vous vous rappeliez que ce sont aussi les mensonges des vaincus à eux-mêmes… Simpson ? »

Colin était mieux préparé que moi. « L'Histoire est un sandwich aux rondelles d'oignon, m'sieur.

— Pour quelle raison ?

— Elle se répète, m'sieur. Elle radote. On l'a vu bien souvent cette année. Même vieille histoire. Même vieille oscillation entre tyrannie et révolte, guerre et paix, prospérité et disette.

— Pas mal comme contenu pour un sandwich, non ? »

Nous rîmes bien plus que la réplique ne le justifiait, avec une hystérie de fin d'année scolaire.

« Finn ?

— "L'Histoire est cette conviction issue du point où les imperfections de la mémoire croisent les insuffisances de la documentation."

— Vraiment ? Où avez-vous trouvé ça ?

— Lagrange, monsieur. Patrick Lagrange. Il est français.

— Comme on aurait pu le deviner. Voudriez-vous nous donner un exemple ?

— Le suicide de Robson, monsieur. »

Il y eut un murmure perceptible de respirations retenues, et des têtes se tournèrent hardiment. Mais Hunt, comme les autres professeurs, accordait un statut spécial à Adrian. Quand *nous* nous essayions à la provocation, celle-ci n'était à leurs yeux qu'un cynisme puéril — une autre chose qui nous passerait avec le temps. Alors que les provocations d'Adrian étaient plutôt accueillies comme de gauches recherches de vérité.

« Quel rapport avec le sujet ?

— C'est un événement historique, monsieur, quoique mineur. Mais récent. Alors il devrait être aisément compris en tant que tel. Nous savons que Robson est mort, nous savons qu'il avait une petite amie, nous savons qu'elle est enceinte — ou était. Qu'avons-nous d'autre ? Un seul document, un simple mot disant "Pardon, maman" — du moins, à en croire Brown. Ce mot existe-t-il encore ? A-t-il été détruit ? Robson avait-il d'autres motifs que les raisons évidentes ? Quel était son état

32

d'esprit? Pouvons-nous être sûrs que l'enfant était de lui? On ne peut pas savoir, monsieur, même pas si peu de temps après. Alors comment quelqu'un écrirait-il l'histoire de Robson dans cinquante ans, lorsque ses parents seront morts et que sa petite amie ne sera plus là et ne voudra pas se souvenir de lui de toute façon? Vous voyez le problème, monsieur?»

Nous regardâmes tous Hunt, en nous demandant si Adrian n'avait pas poussé le bouchon un peu trop loin cette fois. Le mot «enceinte» semblait flotter dans la salle de classe comme de la poudre de craie. Et quant à l'audacieuse suggestion d'une autre paternité possible, d'un Robson le Lycéen cocu... Au bout d'un moment, le professeur répondit :

«Je vois le problème, Finn. Mais je pense que vous sous-estimez l'Histoire. Et, d'ailleurs, les historiens. Supposons, pour les besoins de la discussion, que le pauvre Robson se révèle présenter quelque intérêt historique. Les historiens ont toujours été confrontés à un manque de témoignages directs. C'est ce à quoi ils sont habitués. Et n'oubliez pas que, dans un tel cas, il y a une enquête et donc un rapport du coroner. Robson a pu tenir un journal, ou écrire des lettres, ou donner des coups de fil dont les gens se souviennent. Ses parents ont dû répondre aux lettres de condoléances qu'ils ont reçues. Et, dans cinquante ans, vu l'espérance de vie actuelle, pas mal de ses camarades pourront encore être inter-

33

rogés. Le problème pourrait être moins ardu que vous ne l'imaginez.

— Mais rien ne peut compenser l'absence du témoignage de Robson, monsieur.

— Dans un sens, non. Mais l'historien doit aussi traiter l'explication que donne un participant des événements avec un certain scepticisme. C'est souvent la déclaration faite avec un œil vers l'avenir qui est le plus suspecte.

— Si vous le dites, monsieur.

— Et les états d'esprit peuvent souvent être déduits des actes. Le tyran envoie rarement un billet écrit à la main pour ordonner l'élimination d'un ennemi.

— Si vous le dites, monsieur.

— Eh bien, je le dis.»

Cela fut-il leur échange exact? Presque certainement pas. Mais enfin, c'est le meilleur souvenir que j'en aie.

Nous dîmes adieu au lycée, jurâmes de rester amis pour la vie, et allâmes chacun de notre côté. Adrian, nul n'en fut surpris, obtint une bourse pour Cambridge. J'avais choisi d'étudier l'histoire à Bristol; Colin alla à la Sussex University, et Alex dans la firme de son père. Nous nous écrivîmes des lettres, comme les gens — même les jeunes — le faisaient à l'époque. Mais nous avions peu d'expérience de la forme épistolaire, aussi une gaucherie teintée d'espièglerie précédait souvent toute urgence de contenu. Pour commencer une

lettre, «En réponse à votre courrier du 17 courant» sembla, pendant quelque temps, très spi-
rituel.

Nous jurâmes aussi de nous retrouver chaque
fois que les trois d'entre nous qui étaient à la
fac reviendraient à Londres pour des vacances;
mais ce n'était pas toujours possible. Et le fait
de s'écrire semblait avoir réagencé la dynamique
de notre relation. Les membres du trio initial
s'écrivaient moins souvent et avec moins d'ar-
deur qu'ils n'écrivaient à Adrian. Nous recher-
chions son attention, son approbation; nous le
courtisions, et lui racontions à lui d'abord nos
meilleures histoires; chacun de nous pensait qu'il
était — et méritait d'être — le plus proche de
lui. Et alors pourtant que nous nous faisions de
nouveaux amis nous-mêmes, nous étions d'une
certaine façon persuadés que ce n'était pas le cas
pour lui : que nous étions encore ses plus proches
amis, qu'il dépendait de nous. N'était-ce que
pour camoufler le fait que nous dépendions de
lui ?

Et puis la vie a pris les choses en main, et le
temps a accéléré. Autrement dit, j'ai rencontré une fille. Bien sûr, j'en avais déjà rencontré
quelques-unes, mais soit leur assurance m'inti-
midait et je me sentais gauche, soit leur nervo-
sité aggravait la mienne. Il existait, apparemment,
quelque code masculin secret, transmis de suaves
aînés de vingt ans à de tremblants cadets de dix-
huit ans, lequel, une fois maîtrisé, permettait

d'*emballer* des filles et, dans certaines circonstances, de se les *faire*. Mais je ne l'ai jamais appris
ni compris, et ne le comprends probablement
toujours pas. Ma «méthode» consistait à ne pas
avoir de méthode; les autres, sûrement à juste
titre, jugeaient cela inepte. Même la séquence
prétendument simple : «Un verre? une danse?
je vous raccompagne? on se boit un café?»
impliquait un cran ou une bravade dont j'étais
incapable. Je traînaillais et essayais de faire des
remarques intéressantes tout en m'attendant à
tout gâcher. Je me souviens de m'être senti triste
après quelques verres lors d'une soirée pendant
mon premier trimestre, et lorsqu'une fille me
demanda en passant, d'un air compatissant, si
ça allait, je m'entendis lui dire : «Je crois que
je suis maniaco-dépressif», parce que cela me
semblait alors plus original que : «Je me sens un
peu triste.» Lorsqu'elle répondit : «Pas *encore* un
autre!» et s'éloigna rapidement, je compris que,
bien loin de me distinguer à ses yeux de la joyeuse
bande, j'avais tenté la pire phrase au monde pour
draguer une fille.

Ma petite amie s'appelait Veronica Mary Eliza-
beth Ford, une information (par quoi j'entends
son nom complet) qu'il me fallut deux mois
pour arriver à obtenir. Elle étudiait l'espagnol,
elle aimait la poésie, et son père était fonction-
naire. Moins d'un mètre soixante, mollets galbés
et musculeux, cheveux châtain clair mi-longs,
yeux gris-bleu derrière des lunettes à monture

bleue, et un sourire prompt quoique retenu. Je la trouvais charmante — mais j'aurais probablement trouvé charmante n'importe quelle fille qui ne m'évitait pas. Je n'essayais pas de lui dire que je me sentais triste, parce que ce n'était pas le cas. Elle avait un tourne-disque Black Box supérieur à mon Dansette, et un meilleur goût musical : c'est-à-dire qu'elle méprisait Dvořák et Tchaïkovski, que j'adorais, et avait des 33 tours de musique chorale et de lieder. Elle parcourut ma collection de disques en souriant parfois légèrement et en fronçant plus souvent les sourcils. Le fait d'avoir planqué l'*Ouverture solennelle 1812* et la musique d'*Un homme et une femme* ne me sauvait pas ; il y avait là assez de choses douteuses à son goût, avant même qu'elle n'en vienne à mon importante section «pop» : Elvis, les Beatles, les Stones (non que quiconque pût trouver à y redire, sûrement), mais aussi les Hollies, les Animals, les Moody Blues et un album cartonné de deux disques de Donovan intitulé (sans majuscules) *a gift from a flower to a garden*.

«Tu aimes ce genre de truc ? demanda-t-elle d'un ton neutre.

— C'est pas mal pour danser dessus, répondis-je, un peu sur la défensive.

— Tu danses dessus ? Ici ? Dans ta chambre ? Tout seul ?

— Non, pas vraiment.» Mais bien sûr je le faisais.

«Je ne danse pas», dit-elle, mi-anthropologue,

mi-prescriptrice de règles pour toute relation que nous pourrions avoir si nous sortions ensemble.

Il vaudrait mieux que j'explique ce que signifiait alors le concept de «sortir» avec quelqu'un, parce que le temps a changé cela. Je parlais récemment avec une amie dont la fille était venue la voir dans un état de détresse ; elle était en première année à l'université, et avait couché avec un garçon qui couchait lui-même — ouvertement, pas à son insu — avec plusieurs autres filles en même temps. Ce qu'il faisait, c'était les *essayer* toutes avant de décider avec laquelle «sortir». La fille de mon amie était chagrinée non pas tant par le système — même si elle en percevait à demi l'injustice — que par le fait qu'elle n'avait pas été finalement choisie.

Cela m'a donné l'impression d'être un survivant de quelque vieille civilisation délaissée dont les membres utiliseraient encore des navets sculptés en guise de monnaie d'échange... De «mon temps» (mais je n'en revendiquais pas plus la propriété à l'époque que je ne le fais maintenant), voici ce qui se passait d'ordinaire : vous rencontriez une fille, vous vous sentiez attiré par elle, vous essayiez de lui plaire, vous l'invitiez deux ou trois fois avec des amis — par exemple, au pub —, puis en tête à tête, et puis, après un baiser plus ou moins chaud au moment de se dire bonne nuit, vous «sortiez» en quelque sorte officiellement avec elle. Ce n'était que lorsque vous étiez semi-publiquement engagé dans cette relation que vous découvriez ce que pouvait être sa règle de conduite au sujet du sexe. Et parfois cela signifiait que son corps serait aussi bien défendu que la zone d'exclusion d'un pays pour la pêche.

Veronica n'était pas très différente des autres filles de l'époque. Elles étaient physiquement à l'aise avec vous, vous prenaient le bras en public, vous embrassaient jusqu'à ce que leurs joues s'empourprent, et pouvaient presser consciemment leurs seins contre vous dès lors qu'il y avait cinq ou six épaisseurs de tissu entre leur peau et la vôtre. Elles savaient pertinemment ce qui se passait dans votre caleçon, sans jamais y faire allusion. Et c'était tout, pendant un bon moment. Certaines filles étaient plus accommodantes : vous entendiez parler de celles qui acceptaient la masturbation mutuelle, et d'autres qui permettaient le «grand jeu», comme on disait. Vous ne pouviez mesurer tout le prix de ce «grand» si vous n'aviez pas d'abord eu droit à pas mal de petit jeu. Et puis, le temps passant, il y avait certaines concessions implicites, les unes fondées sur un simple caprice, d'autres sur des promesses et des engagements — ce que le poète a appelé «une lutte pour une alliance».

Les générations ultérieures pourraient être enclines à attribuer tout cela à la religion ou à la pruderie. Mais les filles — ou femmes — avec lesquelles j'eus ce qu'on pourrait appeler de l'*infrasexe* (oui, ce ne fut pas seulement Veronica) étaient à l'aise avec leur corps. Et, si certaines règles étaient respectées, avec le mien. Je ne veux pas suggérer, à propos, que cet *infrasexe* était peu excitant, ou même, sauf de la manière évidente, frustrant. D'ailleurs, ces filles permettaient bien plus de choses que leurs mères ne l'avaient fait, et j'obtenais bien plus que mon père n'avait jadis obtenu. Du moins je le supposais. Et toute faveur accordée était mieux que rien. Sauf que, entre-temps, Colin et Alex s'étaient déniché des copines qui n'avaient pas de zone d'exclusion — à en croire leurs allusions, en tout cas. Mais personne ne disait toute la vérité sur le sujet. Et, à cet égard, rien n'a changé.

Je n'étais pas vraiment puceau, au cas où vous vous poseriez la question. Entre la fin du lycée et l'université, il y avait eu deux ou trois épisodes instructifs, dont les émotions avaient été plus grandes que la marque qu'ils avaient laissée. Ce qui arrivait ensuite me semblait d'autant plus étrange : plus une fille vous plaisait, et mieux vous étiez assortis, moins vous aviez de chances de *grand jeu*, apparemment. À moins, bien sûr — et c'est une idée que je n'ai formulée que plus tard —, que quelque chose en moi ne fût attiré par les filles qui disaient non. Mais un penchant aussi pervers peut-il exister ?

«Pourquoi pas ? demandiez-vous tandis qu'une main retenait fermement votre poignet.

— Ça ne semble pas correct.»

C'était là un échange entendu devant plus d'un appareil chuintant de chauffage au gaz, avec pour contrepoint un sifflement de bouilloire. Et il n'était pas question d'argumenter contre des *sentiments*, parce que les filles étaient des expertes en la matière, les garçons, de frustes débutants. De sorte que «Ça ne semble pas correct» avait bien plus de force persuasive et irréfutable que toute invocation d'un dogme religieux ou d'un conseil maternel. Vous pourriez dire : «Mais n'étaient-ce pas les fameuses Années soixante?» Oui, mais seulement pour certains, seulement dans certaines parties du pays.

Ma petite bibliothèque avait eu plus de succès avec Veronica que ma collection de disques. En ce temps-là, nos livres de poche avaient encore leur aspect traditionnel : *Penguins* orange pour la littérature romanesque, *Pelicans* bleus pour le reste. Avoir plus de bleu que d'orange sur vos rayons était une preuve de sérieux. Et, dans l'ensemble, j'avais suffisamment de titres honorables — Richard Hoggart, Steven Runciman, Huizinga, Eysenck, Empson... plus le *Honest to God* de monseigneur John Robinson, à côté de mes albums humoristiques de Larry. Veronica me fit le compliment de supposer que je les avais tous lus, et ne se douta pas que les bouquins les plus fatigués avaient été achetés d'occasion.

Sa propre bibliothèque contenait beaucoup de poésie, sous forme de volumes ou de plaquettes : Eliot, Auden, MacNeice, Stevie Smith, Thom Gunn, Ted Hughes. Il y avait des volumes du

«Club du Livre de gauche» d'Orwell et de Koestler, quelques romans du XIXe siècle reliés cuir, deux ou trois Arthur Rackham de son enfance et son livre-réconfort, *I Capture the Castle*. Je n'ai pas douté un seul instant qu'elle les avait tous lus, ni qu'ils étaient les bons livres à avoir. En outre, ils semblaient être une continuation organique de son esprit et de sa personnalité, alors que les miens me paraissaient foncièrement distincts de moi, s'efforçant de décrire un personnage que j'espérais devenir. Cette disparité m'affola un peu et, tandis que je parcourais des yeux son rayon poésie, je me souvins d'une phrase de Phil Dixon.

«Bien sûr, chacun se demande ce que fera Ted Hughes quand il sera à court d'animaux.

— Vraiment?

— C'est ce qu'on m'a dit», répondis-je faiblement. Dans la bouche de Dixon, la remarque avait paru spirituelle et sophistiquée; dans la mienne, seulement facétieuse.

«Les poètes ne sont jamais à court de matériau comme un romancier peut l'être, m'informa-t-elle. Parce qu'ils ne dépendent pas d'un matériau de la même façon. Et tu le traites comme une sorte de zoologiste, non? Mais même les zoologistes ne se lassent pas des animaux, si?»

Elle me regardait avec un sourcil levé au-dessus de la monture de ses lunettes. Elle avait cinq mois de plus que moi, et me donnait parfois le sentiment que c'était plutôt cinq ans.

«C'était juste une chose que disait mon prof d'anglais…

— Eh bien, maintenant que tu es à l'université, nous devons t'inciter à penser par toi-même, n'est-ce pas?»

Il y avait quelque chose dans ce *nous* qui me faisait soupçonner que je n'avais pas tout faux. Elle essayait seulement de m'améliorer — et qui étais-je pour trouver à y redire? Une des premières choses qu'elle m'a demandée, c'était pourquoi je portais ma montre sur la face interne de mon poignet. Je n'ai pas pu le justifier, alors j'ai tourné la montre vers l'extérieur et l'ai portée ainsi, comme le faisaient les gens normaux, adultes.

Je me suis installé dans une routine de travail satisfaite, passant mon temps libre avec Veronica et, de retour dans ma chambre d'étudiant, me masturbant jusqu'à un orgasme explosif en l'imaginant étendue sous moi ou penchée sur moi. Cette intimité quotidienne me rendait fier d'en savoir davantage sur le maquillage, les choix vestimentaires, le rasoir féminin, et les mystères et conséquences des règles menstruelles. Je me prenais à envier ce rappel régulier de quelque chose de si pleinement féminin et déterminant, si lié au grand cycle de la nature. Je l'ai peut-être formulé aussi mal que ça quand j'ai essayé d'expliquer ce sentiment.

«Tu romances ce que tu n'as pas. Le seul

intérêt de la chose est d'avertir qu'on n'est pas enceinte.»

Vu la nature de notre relation, cela m'a paru un peu culotté.

«Eh bien, j'espère qu'on ne vit pas à Nazareth...»

Un silence a suivi mes paroles, un de ces silences où les couples conviennent tacitement de ne pas discuter de quelque chose. Et de quoi y avait-il à discuter? Seulement, peut-être, des termes non écrits du pacte. De mon point de vue, le fait que nous ne couchions pas ensemble me dispensait de considérer notre relation autrement que comme une complicité avec une femme qui, en vertu même de ce pacte, n'allait pas me demander où menait ladite relation. Du moins, c'était l'idée que je me faisais du pacte. Mais je me trompais sur la plupart des choses, alors comme maintenant. Par exemple, pourquoi supposais-je qu'elle était vierge? Je ne lui ai jamais posé la question, et elle ne me l'a jamais dit. Je présumais qu'elle l'était parce qu'elle ne voulait pas coucher avec moi : et où est la logique là-dedans?

Pendant les vacances d'hiver, je fus invité à faire la connaissance de sa famille un week-end. Ils vivaient dans le Kent, sur la ligne d'Orping-ton, dans une de ces banlieues périphériques de Londres où l'on a cessé *in extremis* de bétonner la nature et qui, depuis, revendiquent complaisamment un statut rural. Dans le train qui venait de Charing Cross, j'étais inquiet à l'idée que ma valise — la seule que je possédais — était si grande qu'elle me faisait ressembler à un cambrioleur potentiel. Devant la gare d'arrivée, Veronica me présenta à son père, qui ouvrit le coffre de sa voiture, prit la valise que j'avais à la main, et rit.

« On dirait bien que vous comptez vous installer chez nous, jeune homme. »

Corpulent et rougeaud, il me fit l'effet d'un type fruste. Était-ce une odeur de bière que je sentais dans son haleine ? À cette heure de la journée ? Comment cet homme avait-il pu engendrer une telle sylphide ?

Il conduisait sa Humber Super Snipe en s'impatientant, avec force soupirs, de la folie des autres. J'étais assis derrière, seul. De temps à autre il signalait ceci ou cela à l'extérieur, vraisemblablement à mon intention, mais je ne savais pas si j'étais censé répondre. « Église St Michael, brique et silex, bien rénovée par les restaurateurs victoriens. » « Notre Café Royal à nous — *voilà !* » « Remarquez le très chic magasin de vins et spiritueux avec colombage d'époque sur la droite. » Je regardais le profil de Veronica, guettant quelque indice sur la chose à faire — mais rien.

Ils habitaient dans un pavillon de brique rouge, à toit de tuiles, avec une allée de gravier devant. Mr Ford a ouvert la porte d'entrée et crié à la cantonade :

«Le garçon est venu pour un mois!»

J'ai remarqué le vernis luisant sur les meubles sombres, et le vernis luisant sur les feuilles d'une extravagante plante en pot. Le père de Veronica a saisi de nouveau ma valise comme pour se conformer à de vagues règles d'hospitalité et, exagérant comiquement le poids à soulever, l'a hissée jusqu'à une chambre sous le toit et l'a jetée sur le lit. Il a montré du doigt un petit lavabo.

«Pissez là-dedans la nuit si vous voulez.»

J'ai hoché la tête. Je me demandais si c'était de la cordialité virile, ou s'il me traitait comme un moins que rien.

Le frère de Veronica, Jack, était plus facile à décrypter : un de ces gars robustes, sportifs, qui riait de presque tout et taquinait sa sœur cadette. Il se comportait envers moi comme si j'étais un objet de vague curiosité, et certainement pas le premier de ce genre à être soumis à son appréciation. La mère de Veronica ne prêtait aucune attention à ces petits jeux de scène, me posait des questions sur mes études, et disparaissait souvent dans la cuisine. Je suppose qu'elle n'avait guère plus de quarante ans, mais bien sûr à mes yeux c'était une personne d'«âge mûr», comme son mari. Elle ne ressemblait pas beaucoup à Veronica : un visage plus large, des cheveux qu'un ruban maintenait en arrière, dégageant son haut front, une taille un peu au-dessus de la moyenne. Elle avait un genre un peu artiste, mais comment au juste cela s'exprimait — foulards colorés, attitude distraite, habitude de fredonner des airs d'opéra, ou tout cela à la fois —, je ne pourrais à cette distance l'assurer.

J'étais si mal à l'aise que j'ai passé tout le week-end constipé : c'est mon principal souvenir factuel. Le reste consiste en impressions et demi-souvenirs, qui peuvent donc être purement subjectifs : par exemple, la façon dont Veronica, bien qu'elle m'eût invité, sembla d'abord se retirer dans sa famille et se joindre à leur examen de ma personne ; mais était-ce la cause, ou la conséquence, de mon malaise, je ne peux après tout ce temps le démêler. Au cours du dîner, ce vendredi-là, il fut quelque peu débattu de mes références sociales et intellectuelles ; j'avais l'impression d'être devant une commission d'enquête. Ensuite on a regardé les actualités et discuté gauchement des affaires du monde jusqu'au moment d'aller nous coucher. Si on avait été dans un roman, il aurait pu y avoir quelque montée furtive d'un étage à l'autre pour un câlin brûlant après que le paterfamilias eut fermé portes et fenêtres pour la nuit. Mais on n'était pas dans un roman ; Veronica ne m'embrassa même pas en me disant bonne nuit ce premier soir, ni ne m'accompagna au prétexte de voir si j'avais tout ce qu'il me fallait. Peut-être craignait-elle les moqueries de son frère. Alors je me suis déshabillé et lavé, j'ai pissé agressivement dans le lavabo, mis mon pyjama, et je suis resté longtemps éveillé.

Lorsque je suis descendu pour le petit déjeuner, seule Mrs Ford était là. Les trois autres
étaient allés se promener, Veronica ayant affirmé
à chacun que je voudrais faire la grasse matinée.
Je n'ai sûrement pas très bien dissimulé ma réaction à ça ; je sentais que Mrs Ford m'examinait
tout en faisant frire du bacon et des œufs, négligemment, perçant d'ailleurs un des jaunes. Je
n'avais pas l'expérience de parler avec des mères
de petites amies.

«Vous habitez depuis longtemps ici ?» ai-je
finalement demandé, quoique je connusse déjà
la réponse.

Elle a marqué une pause, s'est versé une tasse
de thé, a cassé un autre œuf dans la poêle, s'est
adossée contre un buffet qui contenait des piles
d'assiettes, et a dit :

«Ne lui passez pas trop de choses, à Veronica.»

Je n'ai su que répondre. Devais-je être froissé
de cette ingérence dans notre relation, ou opter
pour le mode «confession» et «discuter» de Veronica ? Alors j'ai dit, sur un ton un peu guindé :

«Que voulez-vous dire, Mrs Ford ?»

Elle m'a regardé, a souri sans condescendance,
a hoché légèrement la tête et répondu : «Nous
habitons ici depuis dix ans.»

Si bien qu'en fin de compte j'étais presque
aussi perplexe avec elle qu'avec les autres, mais
au moins elle semblait bien m'aimer. Elle fit glisser de la poêle un autre œuf dans mon assiette,
en dépit du fait que je ne l'avais pas demandé ou

n'en voulais peut-être pas. Des restes de jaune frit étaient encore dans la poêle ; elle les jeta d'une pichenette dans la poubelle à couvercle basculant, puis elle fourra brusquement la poêle brûlante dans l'évier humide. L'eau grésilla et un nuage de vapeur s'éleva, et elle rit, comme si elle avait pris plaisir à provoquer ce petit chaos.

Lorsque Veronica et les deux hommes revinrent, je m'attendais à un autre examen critique, peut-être même à quelque niche ou blague à mes dépens ; au lieu de cela, on s'enquit poliment de mon sommeil et de mon confort. Cela aurait dû me donner le sentiment d'être accepté, mais c'était plutôt, semblait-il, comme s'ils s'étaient lassés de moi et s'il ne s'agissait plus que d'arriver au bout du week-end. Ce n'était peut-être que de la paranoïa. Côté positif, en tout cas, Veronica se montra plus ouvertement affectueuse ; à l'heure du thé, elle n'hésita pas à poser une main sur mon bras et à jouer avec mes cheveux. À un moment, elle se tourna vers son frère et dit :

« Il fera l'affaire, non ? »

Jack me fit un clin d'œil ; je n'y répondis pas. Une partie de moi-même avait plutôt envie de voler quelques serviettes, ou de marcher sur le tapis avec des chaussures crottées.

Malgré tout, les choses étaient dans l'ensemble presque normales. Ce soir-là, Veronica m'accompagna jusqu'à ma chambre et m'embrassa comme il convient en me souhaitant une bonne nuit. Au déjeuner du dimanche, il y eut un rôti d'agneau hérissé d'énormes brins de romarin évoquant un arbre de Noël. Puisque mes parents m'avaient appris les bonnes manières, j'ai dit qu'il était vraiment délicieux. J'ai surpris le clin d'œil que Jack lançait à son père, comme pour dire : «Quel flagorneur…» Mais Mr Ford a gloussé : «Oyez, oyez, motion adoptée!», tandis que Mrs Ford me remerciait.

Lorsque, au moment de partir, je descendis avec ma valise, Mr Ford s'en saisit et dit à sa femme : «J'espère que tu as compté les cuillères, chérie?» Elle ne se donna pas la peine de répondre et se contenta de me sourire, presque comme si nous avions un secret. Frère Jack ne se montra pas pour dire au revoir. De nouveau Veronica s'assit à côté de son père dans la voiture, et moi derrière. Mrs Ford était adossée contre un montant du porche; le soleil tombait sur une glycine qui grimpait le long de la façade au-dessus d'elle. Lorsque son mari embraya et démarra sur le gravier, je fis au revoir de la main, et elle répondit, mais pas comme on le fait d'ordinaire, avec une paume levée : avec une sorte de geste horizontal au niveau de la taille. Je regrettais un peu de ne pas avoir parlé davantage avec elle.

Pour empêcher Mr Ford de mentionner une seconde fois les merveilles de Chislehurst, j'ai dit à Veronica :

«J'aime bien ta mère.

— On dirait que tu as une rivale, Vron, a dit Mr

50

Ford après avoir pris une inspiration théâtrale. À la réflexion, on dirait bien que j'en ai un aussi. Pistolets à l'aube, jeune homme?»

Mon train était en retard, ralenti par les habituels travaux dominicaux. Je suis rentré chez moi vers six heures du soir. Je me souviens d'avoir passé un sacré bon moment sur le trône.

Une semaine environ plus tard, Veronica vint à Londres afin que je puisse la présenter à mes copains de lycée. Cela s'avéra être une journée d'errance, personne ne voulant décider quoi faire au juste. On est allés flâner dans la Tate Gallery, puis on s'est dirigés vers le palais de Buckingham et, dans Hyde Park, vers le coin des orateurs. Mais il n'y avait aucun orateur en action, alors on a déambulé le long d'Oxford Street en regardant les magasins, et on s'est retrouvés Trafalgar Square parmi les lions. N'importe qui nous aurait pris pour des touristes.

J'avais d'abord observé mes amis pour voir quelle impression Veronica semblait leur faire, mais je m'étais bientôt plus intéressé à ce qu'elle pensait d'eux. Elle riait plus volontiers aux plaisanteries de Colin qu'aux miennes, ce qui m'agaçait, et elle a demandé à Alex comment son père gagnait son argent (assurances maritimes, a-t-il répondu, à ma surprise). Elle semblait vouloir garder Adrian pour la fin. Je lui avais dit qu'il était à Cambridge, et elle a prononcé divers noms. Il a hoché la tête en entendant certains d'entre eux et a dit :

«Oui, je sais quelle sorte de gens ils sont.»

Cela m'a paru assez abrupt, mais Veronica n'en a pas pris ombrage. Elle s'est mise à parler de *colleges,* de profs et de salons de thé d'une façon qui m'a donné le sentiment d'être sur la touche.

«Comment se fait-il que tu en saches tant sur Cambridge? ai-je demandé.

— C'est là qu'est Jack.

— Jack?

— Mon frère… tu te rappelles?

—Voyons… C'était celui qui était plus jeune que ton père?»

Je trouvais ça pas mal, mais elle n'a même pas souri.

«Qu'est-ce qu'il étudie, Jack? ai-je dit pour essayer de me rattraper.

— Sciences morales, a-t-elle répondu. Comme Adrian.»

Je sais, bon sang, ce qu'étudie Adrian, merci bien, ai-je eu envie de répliquer. Au lieu de ça j'ai boudé un moment, et parlé de films avec Colin.

Vers la fin de l'après-midi, on a pris des photos; elle a demandé «une avec tes amis». Ils se sont mis sagement côte à côte tous les trois, sur quoi elle les a disposés autrement : Adrian et Colin, les deux plus grands, de chaque côté d'elle, et Alex près de Colin. Le cliché obtenu la faisait paraître encore plus menue qu'elle ne l'était en réalité. Bien des années plus tard, quand j'en suis venu à examiner cette photo, en quête de réponses, je me suis demandé pourquoi elle ne portait jamais de talons de quelque hauteur que ce fût. J'avais lu quelque part que si on veut que les gens prêtent attention à ce qu'on dit, on ne doit pas élever la voix, mais la baisser au contraire : c'est ce qui commande l'attention. Peut-être était-ce chez elle une sorte de calcul semblable avec la taille. Mais était-elle vraiment encline aux calculs, c'est une question que je n'ai jamais résolue. À l'époque où je sortais avec elle, il me semblait toujours que ses actes étaient instinctifs. Mais j'étais alors rétif à l'idée que les femmes étaient ou pouvaient être manipulatrices. Cela vous en dit peut-être plus sur moi que sur elle. Et même si je décidais, à ce stade tardif de toute l'affaire, qu'elle était et avait toujours été calculatrice, je ne suis pas sûr que ça aiderait beaucoup. Par quoi je veux dire : m'aiderait, moi.

Nous l'avons raccompagnée à Charing Cross et, sur le quai de la gare, avons agité les bras sur un mode pseudo-héroïque, comme si elle partait non pour Chislehurst, mais pour Samarkand. Puis nous sommes restés un moment au bar du Charing Cross Hotel, à boire de la bière en nous sentant très adultes.

« Chouette fille, a dit Colin.

— Très chouette, a ajouté Alex.

— C'est philosophiquement évident ! » ai-je presque crié. Bon, j'étais un peu surexcité. Je me suis tourné vers Adrian.

«Rien de mieux que "très chouette"?

— Tu n'as pas réellement besoin que je te félicite, hein, Anthony?

— Bon Dieu, pourquoi pas?

— Alors bien sûr je le fais.»

Mais son attitude semblait critiquer mon besoin d'approbation, et reprocher aux deux autres de le flatter. Je me suis senti un peu affolé; je ne voulais pas que la journée s'effiloche. Avec le recul, il est évident que ce n'était pas la journée, mais notre relation à tous les quatre, qui commençait à s'effilocher.

«Alors, as-tu rencontré frère Jack à Cambridge?

— Non, et je ne m'attends pas à le rencontrer. Il est en dernière année. Mais j'ai entendu parler de lui, lu des choses sur lui dans une revue d'étudiants. Et sur les gens qu'il fréquente, oui.»

Il voulait manifestement en rester là, mais j'ai insisté :

«Et alors, que penses-tu de lui?»

Il a hésité. Il a bu une gorgée de bière, et dit avec une soudaine véhémence : «Je *déteste* cette façon qu'ont les Anglais de ne jamais vouloir sérieusement être sérieux. Je *déteste vraiment* ça.»

Une humeur différente m'aurait peut-être fait prendre cela pour une pique contre nous trois. Au lieu de ça, je me suis senti presque vengé.

Veronica et moi avons continué à sortir ensemble, pendant toute notre deuxième année. Un soir, peut-être un peu éméchée, elle m'a laissé glisser une main dans sa culotte. J'ai ressenti une fierté extravagante en tâtonnant çà et là. Elle ne voulait pas me laisser mettre un doigt en elle, mais sans mot dire, les jours suivants, on a mis au point une façon d'aller plus loin sur la voie du plaisir. On était allongés sur la moquette à s'embrasser. J'enlevais ma montre, retroussais ma manche gauche et glissais ma main dans sa culotte, que je faisais lentement descendre un peu sur ses cuisses ; puis je posais ma main à plat sur la moquette, et elle se frottait contre mon poignet captif jusqu'à l'orgasme. Pendant quelques semaines je me sentis conquérant, mais, de retour dans ma chambre, ma branlette était parfois teintée de ressentiment. Et dans quelle sorte de nouveau pacte m'étais-je engagé ? Meilleur, ou pire ? Je découvrais une autre chose que je ne comprenais pas : j'étais, vraisemblablement, censé me sentir plus proche d'elle, mais ce n'était pas le cas.

«Alors, est-ce qu'il t'arrive de te demander où mène notre relation ?»

Elle a dit ça comme ça, tout à trac. Elle était venue pour le thé, avec quelques tranches de cake.

«Et toi, ça t'arrive ?

— C'est moi qui ai posé la question la première.»

J'ai pensé — et ce n'était sans doute pas une réaction très galante —, est-ce pourquoi tu as commencé à me laisser glisser une main dans ta culotte?

«Est-ce qu'elle doit mener quelque part?

— N'est-ce pas ce que font les relations?

— Je ne sais pas. Je n'en ai pas vécu assez pour ça.

— Écoute, Tony, dit-elle. Je ne suis pas du genre à stagner.»

J'ai réfléchi un peu à ça, ou essayé de le faire. Mais je ne voyais qu'une image d'eau stagnante, avec une écume verdâtre et une nuée de moustiques. Je me rendais compte que je n'étais pas très doué pour discuter de ce genre de chose.

«Alors tu penses qu'on "stagne"?»

Elle m'a regardé, avec ce tic, sourcil-levé-au-dessus-de-la-monture-de-lunettes, que je ne trouvais plus tout à fait aussi charmant. J'ai ajouté:

«N'y a-t-il pas quelque chose entre "stagner" et "mener quelque part"?

— Comme quoi par exemple?

— Comme passer de bons moments ensemble, goûter l'instant présent et tout ça?» Mais le simple fait de dire cela m'incitait à me demander si je goûtais encore vraiment l'instant présent. J'ai aussi pensé: que veut-elle que je dise?

«Et tu crois qu'on est bien assortis? a-t-elle dit.

— Tu me poses des questions comme si tu connaissais les réponses. Ou, du moins, les réponses que tu veux... Alors pourquoi ne me dis-tu pas ce que c'est et je te dirai si ce sont aussi les miennes?

«— Tu es vraiment lâche, hein, Tony?

— Je pense que c'est plutôt que je suis… paci-fique.

— Eh bien, je ne voudrais pas perturber l'idée que tu te fais de toi.»

On a fini notre thé. J'ai enveloppé les deux tranches de cake qui restaient et les ai mises dans une boîte à biscuits. Veronica m'a embrassé plus près de la commissure de mes lèvres que du centre, et s'en est allée. Dans mon esprit, ce fut le commencement de la fin de notre relation. Ou m'en suis-je souvenu de cette façon pour avoir cette impression, et pour assigner à ma manière les responsabilités? Si l'on me demandait dans un prétoire ce qui se passa alors et ce qui fut dit, je ne pourrais attester que l'emploi des mots «mène», «stagne» et «pacifique». Je n'avais encore jamais pensé à moi comme à quelqu'un de «paci-fique» — ou l'inverse. J'attesterais aussi la vérité de la boîte à biscuits; elle était couleur bordeaux, avec le profil souriant de la reine sur le couvercle.

Je ne veux pas donner l'impression que tout ce que j'ai fait à Bristol, c'était travailler et voir Vero-nica. Mais peu d'autres souvenirs me reviennent. L'un d'eux est celui d'un événement bien dis-tinct : la nuit où j'ai vu le mascaret de la Severn. Le journal local publiait un tableau indiquant où l'on pouvait le mieux assister au phénomène, et quand. Mais la première fois que j'ai tenté ma chance, l'eau ne sembla pas disposée à obéir à ses indications. Puis, un soir, à Minsterworth, un petit groupe d'entre nous a attendu sur la berge jusque après minuit et a été finalement récompensé. Pendant une heure ou deux, on a regardé le fleuve couler sagement vers la mer comme le font tous les bons fleuves. Au clair de lune intermittent s'ajoutaient parfois les faisceaux de quelques puissantes torches électriques. Puis il y eut un murmure, des cous se tendirent, et personne ne pensa plus à l'humidité ni au froid, car on aurait dit que le fleuve changeait soudain d'avis : une vague, haute d'environ quatre-vingts centimètres, venait à contre-courant vers nous, sur toute sa largeur, d'une rive à l'autre. Cette vague arriva à notre hauteur, passa rapidement devant nous et s'éloigna dans l'obscurité. Certains de mes condisciples se lancèrent à sa poursuite, criant, jurant et trébuchant tandis qu'elle les distançait ; je suis resté sur la berge à l'écart. Je ne pense pas pouvoir bien expliquer l'effet que ce moment a eu sur moi. Ce n'était pas comme une tornade ou un séisme (non que j'aie vécu cela) — la nature lorsqu'elle se montre violente et destructrice, et nous remet à notre place. C'était plus troublant parce que cela semblait calmement anormal, comme si quelque petite manette de l'univers avait été poussée et là, pendant ces quelques minutes, le cours naturel des choses était inversé, et le temps avec lui. Et voir ce phénomène de nuit le rendait encore plus mystérieux, encore plus irréel.

Après qu'on eut rompu, elle a couché avec moi.

Oui, je sais. Vous pensez sans doute : le pauvre gland, comment n'a-t-il pas vu ça venir? Mais non. Je pensais que c'était fini entre nous, et je pensais qu'une autre fille (une fille de taille normale qui portait des talons hauts dans les soirées) m'intéressait. Je ne l'ai vu venir à aucun moment : ni lorsque Veronica et moi nous sommes rencontrés comme par hasard au pub (elle n'aimait pas les pubs), ni lorsqu'elle m'a demandé de la raccompagner, lorsqu'elle s'est arrêtée à mi-chemin et qu'on s'est embrassés, ni lorsque, une fois dans sa chambre, j'ai allumé et qu'elle a éteint, ni même lorsqu'elle a enlevé sa culotte et m'a passé un paquet de Durex ultra-fines, ou quand elle en a pris une entre mes doigts tâtonnants et me l'a enfilée, ou pendant le reste de la prompte affaire.

Oui, vous pouvez le redire : pauvre gland — et la croyais-tu encore vierge quand elle enfilait une capote sur ton zob? Bizarrement, vous savez, oui… Je pensais que c'était sans doute un de ces talents féminins intuitifs qui me faisaient inévitablement défaut. Après tout, c'était peut-être le cas.

«Il faut la tenir quand tu te retires», a-t-elle chuchoté (est-ce qu'elle *me* croyait puceau, peut-être?). Puis je me suis levé et je suis allé dans la salle de bain, la capote lestée me battant parfois les cuisses. En m'en débarrassant, j'en suis venu à une décision et une conclusion, et c'était : Non, non.

«Espèce de salaud égoïste, a-t-elle dit quand on s'est revus.

— Oui, eh bien, voilà.

— Ça en fait presque un viol.

— Je ne vois rien qui puisse en faire une telle chose.

— Eh bien, tu aurais pu avoir la décence de me le dire avant.

— Je ne le savais pas avant.

— Oh, alors c'était si nul?

— Non, c'était bien. C'est seulement que...

— Seulement quoi?

— Tu me demandais toujours de penser à notre relation, et donc maintenant peut-être que je l'ai fait.

— Bravo. Ça a dû être dur.»

Je pensais : Et je n'ai même pas vu ses seins, pendant tout ce temps. Je les ai sentis sous mes doigts, mais pas vus. Et elle a complètement tort au sujet de Dvořák et de Tchaïkovski. Et au moins je pourrai écouter la musique d'*Un homme et une femme* aussi souvent que je voudrai. Sans m'en cacher.

«Pardon?

— Bon sang, Tony, tu ne peux même pas te concentrer *maintenant*! Mon frère avait raison à ton sujet.»

Je savais que j'étais censé demander ce que frère Jack avait dit, mais je ne voulais pas lui faire

60

ce plaisir. Voyant que je restais silencieux, elle a ajouté :

«Et ne dis pas ce truc…»

La vie semblait tenir plus que jamais du jeu de devinette.

«Quel truc ?

— Comme quoi on peut rester bons amis.

— C'est ce que je suis censé dire ?

— Tu es censé dire ce que tu *penses*, ce que tu *ressens*, bon Dieu, ce que tu *veux* dire !

— D'accord. Dans ce cas je ne le dirai pas, ce que je suis censé dire. Parce que je ne pense pas qu'on puisse rester bons amis.

— Bien joué, a-t-elle dit sarcastiquement. Bien joué.

— Mais permets-moi de te poser une question : est-ce que tu as couché avec moi pour me récupérer ?

— Je ne suis plus tenue de répondre à tes questions.

— Auquel cas, pourquoi ne voulais-tu pas coucher avec moi quand on sortait ensemble ?»

Pas de réponse.

«Parce que tu n'avais pas besoin de le faire ?

— Peut-être que je ne le voulais pas.

— Peut-être que tu ne le voulais pas parce que tu n'avais pas besoin de le faire.

— Eh bien, tu peux croire ce qu'il te plaît de croire.»

Le lendemain, j'ai emporté un petit pot à lait

qu'elle m'avait donné à la boutique Oxfam[1] ; j'espérais qu'elle le verrait dans la vitrine. Mais quand je suis repassé devant plus tard, il y avait autre chose à la place : une petite lithographie en couleur de Chislehurst que je lui avais offerte à Noël.

Au moins nous étudiions, elle et moi, des matières différentes, et Bristol était une ville assez grande pour que nous nous y croisions rarement. Les quelques fois où cela s'est produit, j'ai éprouvé ce que je ne peux appeler qu'une *pré-culpabilité* : la crainte qu'elle ne dise ou ne fasse quelque chose qui me donnerait le sentiment d'être vraiment coupable. Mais comme elle n'a jamais daigné me parler, cette appréhension s'est peu à peu estompée. Et je me disais que je n'avais aucune raison de me sentir coupable puisque nous étions deux quasi-adultes, responsables de leurs actes, qui s'étaient librement engagés dans une relation qui n'avait pas bien tourné. Personne n'était en cloque, personne n'avait été tué.

Pendant la deuxième semaine des vacances d'été, une lettre dont le cachet indiquait «Chislehurst» arriva. Je ne reconnus pas l'écriture — pleine de boucles et un peu négligente — sur l'enveloppe. Une écriture féminine : sa mère, sans doute. Une autre petite bouffée de précul-pabilité : peut-être Veronica avait-elle fait une

---

1. Œuvre caritative britannique. *(Les notes sont du traducteur.)*

dépression nerveuse, était-elle devenue tout émaciée et encore plus semblable à une enfant perdue. Ou peut-être avait-elle une péritonite et demandait-elle à me voir sur son lit d'hôpital. Ou peut-être… mais même moi pouvais me rendre compte que ce n'étaient là que des conjectures flattant mon ego. La lettre venait bien de la mère de Veronica ; elle était brève et, à ma surprise, n'avait rien d'accusateur. Elle regrettait d'apprendre qu'on avait rompu, et était persuadée que je trouverais quelqu'un qui me conviendrait mieux. Mais elle ne semblait pas dire cela dans le sens que j'étais un vaurien qui méritait quelqu'un d'aussi moralement indigne. Elle suggérait plutôt le contraire : que j'étais tiré d'affaire, et qu'elle espérait le meilleur pour moi. Je regrette de ne pas avoir gardé cette lettre, parce que ç'aurait été une preuve, une corroboration. Alors que je ne peux m'en remettre qu'à mon souvenir — celui d'une femme désinvolte et non sans panache, qui cassait un œuf, m'en faisait frire un autre, et me disait de ne pas me laisser emmerder par sa fille.

Je suis retourné à Bristol pour ma dernière année. La fille de taille normale qui portait des talons hauts était moins intéressée que je ne l'avais imaginé, et je me suis donc concentré sur mes études. Je doutais d'avoir le genre de cervelle nécessaire à l'obtention d'une mention très bien, mais j'étais résolu à décrocher une mention. Le vendredi, je m'accordais le répit d'une soirée au pub. Une fois, une fille avec qui j'avais bavardé a passé la nuit dans ma chambre ; ç'a été agréablement excitant et satisfaisant, mais on n'a pas cherché à se revoir. J'y pensais moins alors que je n'y pense maintenant. Je suppose qu'un tel comportement récréatif paraît bien peu remarquable de nos jours, même pour l'époque : après tout, n'étaient-ce pas les fameuses Années soixante ? Si, mais comme je disais, cela dépendait de l'endroit où — et de qui — vous étiez. Si je peux me permettre une brève leçon d'histoire : la plupart des gens n'ont pas fait l'expérience des *Sixties* avant les années soixante-dix. Ce qui signifie, logiquement, que la plupart des gens vivant dans les années soixante faisaient encore l'expérience des années cinquante — ou, du moins, de bribes de ces deux décennies côte à côte. Ce qui embrouillait pas mal les choses.

Logique : oui, où est la logique ? Où est-elle, par exemple, dans le moment suivant de mon histoire ? Vers le milieu de ma dernière année, j'ai reçu une lettre d'Adrian. Cela s'était produit de plus en plus rarement, car nous travaillions dur tous les deux en vue des derniers examens. Chacun s'attendait, bien sûr, à le voir obtenir une mention très bien. Et puis quoi ? Des études de troisième cycle, vraisemblablement, suivies d'une carrière universitaire, ou de quelque emploi dans la sphère publique où son intelligence et son sens des responsabilités seraient mis à profit. Quelqu'un m'a dit une fois que la fonction publique (du moins, au plus haut niveau) est un lieu assez fascinant où travailler, parce qu'on doit prendre constamment des décisions morales. Cela conviendrait peut-être à Adrian. Je ne le voyais certainement pas comme une personne tournée vers les paillettes du monde, ou aventureuse — sinon intellectuellement, bien entendu. Il n'était pas du genre à avoir un jour son nom ou son visage dans les journaux.

Vous devinez sans doute que je retarde le moment de vous dire le truc suivant. O.K. : Adrian disait qu'il m'écrivait pour me demander la permission de sortir avec Veronica.

Oui, pourquoi elle, et pourquoi alors ; et puis, pourquoi demander ? À vrai dire, et pour être fidèle à ma propre mémoire, dans la mesure où c'est jamais possible (et je n'ai pas gardé non plus cette lettre), ce qu'il disait, c'était que Veronica et lui sortaient en fait déjà ensemble, ce dont j'aurais sûrement eu vent tôt ou tard ; il semblait donc préférable que je l'apprenne de lui. Il disait aussi que, si cette nouvelle était de nature à me surprendre, il espérait que je pourrais le comprendre et l'accepter, parce que, sinon, il se devrait, au nom de notre amitié, de reconsidérer ses actes et ses décisions. Et, enfin, que Veronica avait été d'accord pour qu'il écrive cette lettre — de fait, ç'avait été en partie son idée.

Comme vous pouvez l'imaginer, j'ai particulièrement goûté le passage sur ses scrupules moraux — suggérant que si je pensais que quelque vénérable code chevaleresque ou, mieux encore, quelque principe éthique moderne avait été enfreint, il arrêterait, naturellement et logiquement, de la baiser. À supposer bien sûr qu'elle ne le faisait pas marcher comme elle m'avait fait marcher. Je goûtais aussi l'hypocrisie d'une lettre qui ne visait pas seulement à me dire une chose que je n'aurais peut-être pas découverte après tout (ou pas avant un bon moment), mais aussi à me faire savoir qu'elle, Veronica, était passée à quelque chose de mieux : à mon ami le plus brillant, et, qui plus est, un gars de Cambridge comme frère Jack. Et en outre, à m'avertir qu'elle serait dans les parages si je comptais voir Adrian — ce qui eut l'effet recherché de me faire décider de ne pas le voir. Pas mal pour une journée, ou une nuit, de travail… Mais je dois souligner de nouveau que c'est mon interprétation actuelle de ce qui s'est passé alors. Ou plutôt, mon souvenir actuel de ma façon d'interpréter alors ce qui se passait à ce moment-là.

Mais je pense que j'ai un instinct de survie, un bon instinct de conservation. Peut-être est-ce ce que Veronica appelait de la lâcheté, et que j'appelais être «pacifique». Quoi qu'il en soit, quelque chose m'a averti de ne pas m'en mêler — du moins, pas tout de suite. J'ai pris la première carte postale qui m'est tombée sous la main — avec une photo du pont suspendu de Clifton — et j'ai écrit à peu près : «En réponse à votre courrier du 21 courant, le soussigné présente ses compliments et souhaite attester que tout ça lui convient à merveille, vieille branche!» Sot, mais sans ambiguïté; et cela ferait l'affaire pour le moment. Je prétendrais — et feindrais moi-même de croire — que cela m'était bien égal. Je travaillerais dur, mettrais mes émotions en suspens, ne ramènerais personne du pub, me masturberais quand il le faudrait, et ferais tout pour obtenir le diplôme que je méritais (et, oui, j'ai eu une mention).

Je suis resté quelques semaines de plus après avoir passé les examens et je me suis mis à fréquenter un groupe différent, j'ai bu systématiquement, fumé un peu d'herbe, et pensé à très peu de choses. Sauf quand j'imaginais ce que Veronica avait pu dire de moi à Adrian («Il m'a pris ma virginité et m'a plaquée juste après, alors ça m'a vraiment fait l'effet d'un viol, tu vois?»). Je l'imaginais en train de lui passer de la pommade — j'avais vu le début de cette flatterie —, jouant sur ce qu'il pouvait espérer. Comme je le disais, Adrian n'était pas une personne tournée vers les paillettes du monde, malgré tous ses succès universitaires. D'où le ton moralement supérieur de sa lettre, que je relisais avec une fréquence propre à raviver mon apitoiement sur mon sort. Lorsque, enfin, j'y ai répondu sérieusement, j'ai laissé tomber ce sot jargon de courrier administratif. Si je me souviens bien, je lui ai dit ce que je pensais de leurs scrupules moraux. Je lui ai aussi conseillé d'être prudent, parce que, à mon avis, Veronica avait subi quelque traumatisme dans son enfance. Puis je lui ai souhaité bonne chance, j'ai brûlé sa lettre dans un âtre vide (mélodramatique, j'en conviens, mais je plaide la jeunesse comme circonstance atténuante), et j'ai décidé que ces deux-là étaient désormais hors de ma vie pour toujours.

Que voulais-je dire par «traumatisme»? Ce n'était qu'une hypothèse; je n'avais aucune preuve. Mais chaque fois que je repensais à ce malheureux week-end, je voyais bien qu'il ne s'était pas simplement agi d'une situation où un jeune homme plutôt naïf se sent mal à l'aise dans une famille plus cossue et plus socialement compétente. Il y avait de ça aussi, bien sûr. Mais je sentais une complicité entre Veronica et son lourdaud de père, qui me traitait comme quelqu'un d'inférieur aux normes requises... Et aussi entre Veronica et son frère Jack, dont l'existence et l'attitude étaient manifestement, aux yeux de sa sœur, sans pareilles : il avait été le juge désigné lorsqu'elle avait demandé publiquement à mon sujet — et la question devient plus condescendante à chaque répétition : «Il fera l'affaire, non?» En revanche, je ne voyais aucune complicité avec sa mère, qui la prenait sûrement pour ce qu'elle était. Comment Mrs Ford avait-elle eu cette occasion de me mettre en garde contre sa fille? Parce que ce matin-là — le premier après mon arrivée —, Veronica avait dit à tout le monde que je voulais faire la grasse matinée et était sortie avec son père et son frère. Aucun échange entre elle et moi ne justifiait cette invention. Je ne faisais jamais la grasse matinée. Je ne la fais même pas maintenant.

Lorsque j'ai écrit à Adrian, je ne savais pas très bien moi-même ce que j'entendais par «traumatisme». Et, une grosse tranche de vie plus tard, je n'y vois qu'un peu plus clair. Ma belle-mère (qui ne fait heureusement pas partie de cette histoire) ne me tenait pas en haute estime, mais au moins elle était franche à ce sujet, comme sur la plupart des sujets. Elle a dit une fois, alors qu'une autre affaire d'enfance violentée emplissait les journaux et les actualités : «Je suppose qu'on a tous été violentés.» Suis-je en train de suggérer que Veronica fut la victime de ce qu'ils appellent maintenant un «comportement déplacé» : regards concupiscents de son père éméché à l'heure du bain ou du coucher, ou un peu plus qu'un câlin fraternel avec Jack? Comment le saurais-je? Y eut-il quelque moment primitif de perte, quelque privation d'amour quand elle en avait le plus besoin, ou quelque conversation entendue dont elle aurait conclu que…? Encore une fois, je ne peux pas le savoir. Je n'ai aucun indice, anecdotique ou documentaire. Mais je me souviens de ce que le vieux Joe Hunt a dit quand il discutait avec Adrian : que des états d'esprit peuvent être déduits des actes. Ça, c'est dans l'Histoire — Henri VIII et tout. Alors que, dans la vie privée, je pense que c'est plutôt l'inverse qui est vrai : des actes passés peuvent être inférés d'états d'esprit actuels.

Je crois assurément que nous subissons tous quelque traumatisme, d'une manière ou d'une autre. Comment pourrait-il en être autrement, ailleurs que dans un monde où tous les parents, frères et sœurs, voisins et amis seraient parfaits ? Et puis il y a la question, dont tant de choses dépendent, de la façon dont nous réagissons au traumatisme : le reconnaissons-nous, le refoulons-nous, et comment cela affecte-t-il nos rapports avec autrui ? Certains reconnaissent le traumatisme, et tentent de l'atténuer ; certains passent leur vie à s'efforcer d'aider d'autres traumatisés ; et puis il y a ceux et celles dont la préoccupation première est d'éviter tout autre traumatisme pour eux-mêmes, à tout prix. Et ce sont ceux-là qui sont impitoyables, et auxquels il vaut mieux prendre garde.

Vous pourriez penser que ce sont là des inepties — un prêchi-prêcha visant à me justifier moi-même. Vous pourriez penser que je me suis comporté avec Veronica comme un mâle typiquement immature, et que toutes mes « conclusions » sont réversibles. Par exemple, « après qu'on eut rompu, elle a couché avec moi » peut aisément devenir « après qu'elle eut couché avec moi, j'ai rompu avec elle ». Vous pourriez aussi décider que les Ford étaient une famille bourgeoise anglaise normale sur laquelle je plaquais aigrement de pseudo-théories sur le traumatisme ; et que Mrs

Ford, au lieu de se préoccuper avec tact de mon sort, faisait preuve en réalité d'une indécente jalousie vis-à-vis de sa propre fille. Vous pourriez même me demander d'appliquer ma «théorie» à moi-même et d'expliquer quel traumatisme j'ai pu subir autrefois et quelles pourraient en être les conséquences : par exemple, comment cela pourrait affecter ma fiabilité et ma véridicité. Je ne suis pas sûr que je serais capable de répondre à ça, à vrai dire.

Je ne m'attendais pas à recevoir une réponse d'Adrian, et je n'en ai pas reçu. Et maintenant la perspective de voir Colin et Alex seuls devenait moins attrayante. Ayant été trois, puis quatre, comment envisager de n'être de nouveau plus que trois? Si les autres voulaient former leur propre clan, très bien, libre à eux. Moi je devais aller de l'avant. Ce que j'ai fait.

Certains de mes condisciples optaient pour la coopération à l'étranger, allaient en Afrique, où ils faisaient la classe aux enfants et construisaient des murs en pisé; je n'avais pas une telle grandeur d'âme. Et, à l'époque, vous présumiez d'une certaine façon qu'un diplôme décent vous assurerait un emploi décent, tôt ou tard. «*Taï*-aï-aï-aïme *is on my side, yes it is*», bêlais-je en duo avec Mick Jagger, en tournoyant seul dans ma chambre d'étudiant. Alors, laissant les autres étudier la médecine ou le droit ou passer des concours de la fonction publique, je suis allé aux États-Unis et j'y ai bourlingué pendant six mois. J'ai été serveur, j'ai peint des clôtures, fait du jardinage, et livré des voitures à travers plusieurs États. En ce temps-là, celui d'avant les téléphones portables, les courriels et Skype, les voyageurs dépendaient du système de communication rudimentaire connu sous le nom de carte postale. D'autres méthodes — l'appel téléphonique international, le télégramme — étaient réservées aux cas d'urgence. De sorte que les bulletins d'information de mes parents à mon sujet auraient été réduits à : «Oui, il est bien arrivé», «Aux dernières nouvelles il était dans l'Oregon», ou «Nous l'attendons dans quelques semaines». Je ne dis pas que c'était forcément mieux, ou formateur; mais, dans mon cas, il valait sans doute mieux que mes parents n'eussent pas qu'à appuyer sur un bouton de portable pour déverser leurs inquiétudes et leurs prévisions météo à long terme et me mettre en garde contre les inondations, les épidémies et les psychopathes agresseurs de routards.

J'ai rencontré une fille pendant que j'étais là-bas : Annie. Elle était américaine, et bourlinguait comme moi. On a «fait équipe», comme elle disait, et passé trois mois ensemble. Elle portait des chemises écossaises, avait des yeux gris-vert et des manières cordiales; nous sommes devenus amants facilement et rapidement; je n'en croyais pas ma chance. Je n'en revenais pas non plus de voir comme c'était simple : d'être amis et compagnons de lit, de rire, boire et fumer un peu d'herbe ensemble, de voir un peu le monde côte à côte — et puis de se séparer sans récriminations ni reproches. «Ça s'en vient, ça s'en va», disait-elle, sincèrement. Plus tard, en y repensant, je me suis demandé si quelque chose en moi n'était pas choqué par cette aisance même, et n'avait pas besoin d'un peu plus de complications comme preuve de — quoi donc? — profondeur, sérieux? Quoique, Dieu sait qu'on peut avoir des complications et des difficultés sans aucune profondeur ni aucun sérieux compensateurs. Beaucoup plus tard, je me suis aussi demandé si «Ça s'en vient, ça s'en va» n'était pas une façon de poser une question, et de chercher une réponse particulière que j'étais incapable de fournir. Mais tout cela n'est dit qu'en passant. Annie fait partie de mon histoire, mais pas de cette histoire.

Mes parents ont bien pensé à me joindre quand c'est arrivé, mais ils n'avaient aucune idée de l'endroit où j'étais. Dans un vrai cas d'urgence — disons, présence requise au chevet d'une mère mourante —, je suppose que le Foreign Office aurait contacté l'ambassade à Washington, qui aurait informé les autorités américaines, lesquelles auraient demandé aux forces de police dans tout le territoire de chercher un jeune Anglais enjoué et bronzé qui était un peu plus sûr de lui qu'il ne l'avait été à son arrivée dans le pays. De nos jours, un texto suffirait.

À mon retour, ma mère, les joues poudrées,

m'a embrassé avec quelque raideur, m'a envoyé prendre un bain, et m'a préparé ce qu'elle appelait encore mon «dîner préféré», et que j'ai accepté comme tel, ne l'ayant pas informée, depuis un bon moment, de l'évolution de mes goûts culinaires. Après quoi elle m'a tendu les rares lettres qui étaient arrivées en mon absence.

«Tu ferais bien d'ouvrir ces deux-là d'abord.»

La première contenait un mot d'Alex. «Cher Tony, ai-je lu, Adrian est mort. Il s'est tué. J'ai appelé ta mère, qui dit qu'elle ne sait pas où tu es. Alex.»

«Merde», ai-je dit, jurant pour la première fois devant mes parents.

«Navré pour ça, fiston.» Le commentaire de mon père ne semblait pas vraiment à la hauteur des circonstances. Je l'ai regardé et je me suis surpris à me demander si la calvitie était héréditaire — si j'en hériterais.

Après un de ces silences que chaque famille «gère» différemment, ma mère m'a demandé: «Tu crois que c'était parce qu'il était trop intelligent?

— Je n'ai pas les statistiques sur le rapport entre l'intelligence et le suicide, ai-je répondu.

— Oui, Tony, mais tu vois ce que je veux dire.

— Non, en fait, pas du tout.

— Eh bien, disons-le ainsi: tu es un garçon intelligent, mais pas au point d'en venir à faire une telle chose.»

Je l'ai regardée sans rien penser. Encouragée à

tort, elle a ajouté : «Mais si on est très intelligent, je crois qu'il y a quelque chose qui peut déséquilibrer si on ne fait pas attention.»

Pour éviter de discuter de ce genre de théorie, j'ai ouvert la seconde lettre d'Alex. Il disait qu'Adrian l'avait fait très efficacement, et avait laissé un exposé de ses motifs. «Rencontrons-nous et parlons-en. Bar du Charing Cross Hotel? Appelle-moi. Alex.»

J'ai déballé mes affaires, repris mes marques, parlé de mes pérégrinations, et me suis refamiliarisé avec les habitudes et les odeurs, les petits plaisirs et toute la grisaille du foyer parental. Mais mon esprit ne cessait de revenir à toutes ces discussions innocemment ferventes qu'on avait eues lorsque Robson s'était pendu dans son grenier, avant que nos vraies vies ne commencent. Il nous avait semblé philosophiquement évident que le suicide était un droit pour toute personne libre : un acte logique pour qui est confronté à une maladie incurable, ou à la sénilité ; un acte héroïque face à la torture, ou bien pour éviter que d'autres ne soient tués ; un acte flamboyant dans la fureur de l'amour déçu (cf. Grande Littérature). Aucune de ces catégories ne correspondait à l'acte sordidement médiocre de Robson.

Aucune ne correspondait non plus au cas d'Adrian. Dans la lettre qu'il avait laissée pour le coroner, il avait expliqué son raisonnement : la vie est un don octroyé sans qu'on l'ait demandé ; l'être pensant a le devoir philosophique d'examiner la nature de l'existence et les conditions de l'offre ; et si cette personne décide de renoncer à ce don que nul n'a demandé, c'est son devoir moral et humain d'agir conformément à cette décision. Il y avait presque un CQFD à la fin. Adrian avait demandé au coroner de rendre son argumentation publique, et l'officier de police judiciaire avait respecté sa volonté.

Finalement, j'ai demandé : « Comment il l'a fait ?

— Il s'est tranché les veines des poignets dans la baignoire.

— Bon Dieu. C'est quelque chose de... grec, non ? Ou était-ce la ciguë ?

— Plutôt le Romain exemplaire, je dirais. Et il savait comment s'y prendre... Il faut couper en diagonale. Si on coupe en travers, on peut perdre connaissance et la plaie se referme et on a raté son coup.

— Peut-être qu'on se noie...

— Même alors... deuxième prix, a dit Alex. Adrian aurait préféré le premier. » Il avait raison : diplôme de première classe, suicide de première classe.

Il s'était tué dans un appartement qu'il louait avec deux autres étudiants. Ceux-ci étaient partis pour le week-end, et il avait donc eu tout le temps de se préparer. Il avait écrit sa lettre au coroner, épinglé sur la porte de la salle de bain un mot disant « NE PAS ENTRER — APPELER LA POLICE — ADRIAN », fait couler un bain, verrouillé la porte, puis il s'était tranché les veines des poignets dans l'eau chaude, et vidé de son sang. On l'avait trouvé un jour et demi plus tard.

Alex m'a montré une coupure du *Cambridge Evening News*. «Mort tragique d'un jeune homme prometteur.» Ils gardaient sans doute ce titre composé en permanence. Le verdict de l'enquête du coroner avait été que Adrian Finn (22 ans) s'était tué «alors que son équilibre mental était perturbé». Je me rappelle à quel point cette phrase conventionnelle m'a mis en colère : j'aurais juré sous serment que l'esprit d'Adrian aurait été le dernier à pouvoir être déséquilibré. Mais, aux yeux de la loi, si on se tue, on est par définition fou, du moins au moment où l'on commet l'acte. La loi, et la société, et la religion disent toutes qu'il est impossible d'être sain d'esprit et de corps et de se tuer. Peut-être ces autorités craignaient-elles que le raisonnement du suicidé ne remette en cause la nature et la valeur de la vie telle qu'elle était organisée par l'État qui payait le coroner? Et, puisqu'on vous a déclaré temporairement fou, vos raisons de vous tuer sont aussi présumées folles. Aussi je doute que quiconque ait prêté beaucoup attention à l'argumentation d'Adrian, avec ses références aux philosophes anciens et modernes, au sujet de la supériorité de l'acte volontaire sur l'indigne passivité de laisser simplement la vie s'imposer à soi.

Adrian s'était excusé de déranger la police, et avait remercié le coroner de bien vouloir rendre ses derniers mots publics. Il avait aussi demandé à être incinéré, et que ses cendres soient dispersées, puisque la prompte destruction du corps était aussi un choix actif du philosophe, et préférable à l'attente horizontale de la décomposition naturelle dans la terre.

« Tu y es allé ? Aux obsèques ?

— Pas invité. Ni Colin. Famille seulement, etc.

— Qu'en pensons-nous ?

— Eh bien, c'est le droit de la famille, je suppose.

— Non, pas de ça. De ses raisons. »

Alex a bu une gorgée de bière. « Je n'arrivais pas à décider si c'est foutrement impressionnant ou un foutu malheureux gâchis.

— Et l'as-tu ? Décidé ?

— Eh bien, ça pourrait être les deux.

— Ce que *je* n'arrive pas à décider, ai-je dit, c'est si c'est quelque chose de circonscrit à lui-même — je ne veux pas dire égocentrique, mais, tu sais, concernant seulement Adrian —, ou quelque chose qui comporte une critique implicite de tous les autres. De nous. » J'ai regardé Alex.

« Eh bien, ça pourrait être les deux.

— Arrête de dire ça.

— Je me demande ce qu'ont pensé ses profs de philo. S'ils se sont sentis en quelque façon responsables. C'était son esprit qu'ils formaient, après tout.

— Quand l'as-tu vu pour la dernière fois ?

— Environ trois mois avant sa mort. Là où tu es assis. C'est pourquoi j'ai suggéré cet endroit.

— Alors il allait à Chislehurst. Comment était-il?

— Enjoué... Comme à son habitude, mais visiblement plus heureux. Quand on s'est dit au revoir, il m'a confié qu'il était amoureux.»

La garce, ai-je pensé. S'il y avait une seule femme au monde dont un homme pouvait tomber amoureux sans être dissuadé pour autant de penser que la vie méritait d'être refusée, c'était bien Veronica.

«Qu'est-ce qu'il a dit d'elle?

— Rien. Tu sais comment il était.

— Est-ce qu'il t'a dit que je lui ai écrit une lettre où je lui disais où il pouvait se la mettre?

— Non, mais ça ne m'étonne pas.

— Quoi, que je l'aie écrite, ou qu'il ne te l'ait pas dit?

— Eh bien, ça pourrait être les deux.»

J'ai boxé un peu Alex, juste assez pour renverser sa bière.

À la maison, avec à peine assez de temps pour réfléchir à ce que j'avais entendu, j'ai dû éluder les questions de ma mère.

«Qu'as-tu appris?»

Je lui ai dit un peu du *comment*.

«Ça a dû être bien pénible pour les pauvres policiers. Les choses qu'ils doivent faire... Est-ce qu'il avait un problème de fille?»

Une partie de moi-même a eu envie de dire:

«Bien sûr — il sortait avec Veronica.» Mais j'ai seulement répondu : «Alex a dit qu'il était heureux la dernière fois qu'ils se sont vus.

— Alors pourquoi il a fait ça?»

Je lui ai donné la version courte de la version courte, en laissant de côté les noms des philosophes en rapport avec le sujet. J'ai essayé d'expliquer : refuser un don non demandé, action contre passivité. Ma mère hochait la tête en écoutant ça.

«Tu vois, j'avais raison.

— Comment ça, maman?

— Il *était* trop intelligent. Si on l'est autant, on peut se convaincre de n'importe quoi. On oublie le bon sens. C'est sa cervelle qui l'a déséquilibré, c'est pour ça qu'il l'a fait.

— Oui, maman.

— C'est tout ce que tu as à dire? Tu veux dire que tu es d'accord?»

Ne pas répondre était la seule façon de garder mon calme.

J'ai passé les quelques jours suivants à essayer de réfléchir à tous les aspects de la mort d'Adrian. Je n'aurais certes guère pu m'attendre à recevoir une lettre d'adieu moi-même, mais j'étais déçu pour Colin et Alex. Et comment étais-je censé penser à Veronica maintenant? Adrian l'aimait, et pourtant il s'était tué : comment cela pouvait-il s'expliquer? Pour la plupart d'entre nous, la première expérience de l'amour, même si elle tourne court — et peut-être surtout alors —, apporte la promesse que là se trouve ce qui valide, ce qui justifie l'existence. Et bien que les années suivantes puissent altérer ce point de vue, jusqu'à ce que certains y renoncent complètement, quand l'amour frappe pour la première fois, il n'y a rien de tel, n'est-ce pas ? Vous êtes bien d'accord ?

Mais Adrian n'était pas d'accord. Peut-être que si ç'avait été une femme différente... ou peut-être pas — Alex avait témoigné du bonheur évident d'Adrian la dernière fois qu'ils s'étaient vus. Est-ce qu'il s'était passé quelque chose de terrible au cours des mois suivants ? Mais, dans ce cas, Adrian l'aurait sûrement indiqué. Il était le chercheur de vérité et le philosophe parmi nous : si c'étaient ses motifs déclarés, c'étaient ses vrais motifs.

Quant à Veronica, je suis passé du reproche que je lui faisais de n'avoir pu sauver Adrian à la pitié pour elle : après avoir triomphalement obtenu mieux que moi, voyez ce qui était arrivé. Devais-je exprimer mes condoléances ? Mais elle me jugerait hypocrite. Si je lui écrivais, soit elle ne répondrait pas, soit elle tordrait les choses d'une façon ou d'une autre et je finirais par ne pas pouvoir penser correctement.

J'en suis venu, finalement, à penser correctement ; c'est-à-dire, à comprendre les raisons d'Adrian, les respecter, et l'admirer. Il avait un meilleur intellect et un tempérament plus rigoureux que moi ; il pensait logiquement, puis agissait selon les conclusions de cette pensée logique. Alors que la plupart d'entre nous, je le soupçonne, font le contraire : nous prenons une décision instinctive, puis construisons un raisonnement afin de l'étayer et de la justifier. Et appelons le résultat «bon sens». Pensais-je que l'acte d'Adrian impliquait une critique des autres, de nous ? Non. Ou, du moins, je suis sûr que ce n'était pas son intention. Sans doute attirait-il les gens, mais il ne s'est jamais comporté comme s'il voulait des disciples ; il pensait que nous devions tous penser par nous-mêmes. Aurait-il «joui de la vie», comme le font, ou tentent de le faire, la plupart d'entre nous, s'il avait vécu ? Peut-être ; ou peut-être aurait-il éprouvé la culpabilité et le remords de n'avoir pas réussi à mettre ses actes en accord avec ses idées.

Et rien de tout cela ne change grand-chose au fait que c'était quand même, comme disait Alex, un foutu malheureux gâchis.

Un an plus tard, Colin et Alex ont suggéré une rencontre. Le jour anniversaire de la mort d'Adrian, on s'est retrouvés au Charing Cross Hotel pour boire un verre, avant de choisir un dîner indien. On a essayé d'évoquer et de célébrer notre ami. On s'est souvenus de lui disant au vieux Joe Hunt qu'il était au chômage, et faisant la leçon à Phil Dixon au sujet d'Éros et Thanatos ; nous transformions déjà notre passé en anecdotes. On s'est rappelé avoir acclamé l'annonce qu'Adrian avait obtenu une bourse pour Cambridge. On s'est rendu compte que, alors qu'il était venu chez chacun de nous, aucun de nous trois n'était allé chez lui ; et que nous ignorions — l'avions-nous jamais demandé ? — ce que faisait son père. On a levé notre verre de vin à sa mémoire au bar de l'hôtel, puis notre verre de bière à la fin du dîner. Dehors, on s'est tapé sur l'épaule et on s'est juré de répéter la commémoration chaque année. Mais nos vies allaient déjà dans des directions différentes, et le souvenir commun d'Adrian ne suffisait pas à maintenir un lien durable entre nous. Peut-être l'absence de mystère dans sa mort, dans la mesure où il avait clairement expliqué son geste, signifiait-elle que cette page était plus facile à tourner. Nous ne l'oublierions jamais, bien sûr. Mais sa mort était exemplaire plutôt que « tragique » — comme ce journal de Cambridge l'avait machinalement affirmé —, et il s'éloignait de nous assez rapidement, pris dans le temps et l'histoire.

J'avais alors quitté le foyer parental, et commencé à travailler comme stagiaire dans un service culturel. Puis j'ai rencontré Margaret ; on s'est mariés et, trois ans plus tard, Susie est née. On a acheté une petite maison à l'aide d'un gros emprunt-logement ; j'allais à Londres chaque jour de semaine. Mon stage s'était transformé en ce qui allait devenir une longue carrière. La vie a passé. Un Anglais a dit que le mariage est un long repas terne où le dessert est servi en premier. Je pense que c'est beaucoup trop cynique. J'ai aimé mon mariage, mais j'ai peut-être été trop paisible — trop pacifique — pour mon bien. Au bout d'une douzaine d'années, Margaret s'est liée avec un type qui gérait un restaurant. Il ne me plaisait pas beaucoup — ni sa cuisine, d'ailleurs —, mais rien de très étonnant à ça, pas vrai? On s'est partagé la garde de Susie. Heureusement, elle n'avait pas l'air trop affectée par la rupture; et, je m'en rends maintenant compte, je ne lui ai jamais appliqué ma théorie du traumatisme.

Après le divorce, j'ai eu quelques liaisons, mais rien de sérieux. Je parlais à Margaret de toute nouvelle copine. À l'époque, cela semblait être une chose naturelle à faire. Maintenant, je me demande parfois si je n'essayais pas de la rendre jalouse; ou, peut-être, de me protéger, d'empêcher la nouvelle relation de devenir trop sérieuse. Dans mon existence plus vide, j'ai aussi joué avec diverses idées que j'appelais «projets», sans doute pour les faire paraître réalisables. Aucune n'a abouti à quoi que ce soit. Bah, c'est sans importance; et sans rapport avec mon histoire.

Susie a grandi, et les gens ont commencé à l'appeler Susan. Elle avait vingt-quatre ans lorsqu'elle a traversé à mon bras la grande salle de la mairie. Ken est médecin. Ils ont deux enfants, un garçon et une fille. Les photos d'eux que je garde dans mon portefeuille les montrent toujours plus jeunes qu'ils ne le sont. C'est normal, je suppose, pour ne pas dire «philosophiquement évident». Mais on se prend à répéter : «Ils grandissent si vite, n'est-ce pas?», quand ce qu'on veut dire en réalité, c'est : le temps s'écoule plus rapidement pour moi à présent.

Le second mari de Margaret s'est révélé être un quidam pas tout à fait assez paisible : il est parti avec une fille qui ressemblait assez à Margaret, mais qui avait ces dix ans cruciaux de moins. Elle et moi restons en bons termes; nous nous revoyons à l'occasion de certains événements familiaux, et déjeunons parfois ensemble. Une fois, après un verre ou deux, elle est devenue sentimentale et elle a laissé entendre qu'on pourrait peut-être se remettre ensemble. «Des choses plus bizarres se sont produites», comme elle a dit. Sûrement, mais j'étais alors habitué à mon train-train, et attaché à ma solitude. Ou peut-être ne suis-je simplement pas assez excentrique pour faire une telle chose. Une ou deux fois, on a parlé de passer des vacances ensemble, mais j'imagine que chacun comptait sur l'autre pour organiser ça, réserver les billets et les hôtels. Alors ça ne s'est jamais fait.

Je suis à la retraite maintenant. J'ai mon appartement avec mes affaires. Je reste en relation avec quelques copains de pub, et j'ai quelques amies — platoniques, bien sûr. (Et elles ne font pas partie non plus de cette histoire.) Je suis membre de la société d'histoire locale, quoique moins excité que d'autres par ce que les détecteurs de métaux trouvent dans le sol. Il y a quelque temps, je me suis porté volontaire pour m'occuper de la bibliothèque de l'hôpital local ; je prête et reprends les livres dans les salles et les chambres, recommande des lectures. Ça me fait sortir, et il est bon de faire quelque chose d'utile. Et je rencontre des gens. Des gens malades, bien sûr ; des gens mourants aussi. Mais au moins je saurai m'y retrouver là-bas quand viendra mon tour.

Et ça fait une vie, non ? Quelques accomplissements et quelques déceptions. Elle a été intéressante pour moi, mais je ne serais pas contrarié ni étonné si d'autres la trouvaient moins intéressante. Peut-être que, dans un sens, Adrian savait ce qu'il faisait. Pourtant je n'aurais manqué cela — ma propre vie — pour rien au monde, vous comprenez.

J'ai survécu. « Il a survécu pour raconter l'histoire » — c'est ce qu'on dit, n'est-ce pas ? L'Histoire, ce ne sont pas les mensonges des vainqueurs, comme je l'ai trop facilement affirmé au vieux Joe Hunt autrefois ; je le sais maintenant. Ce sont plutôt les souvenirs des survivants, dont la plupart ne sont ni victorieux, ni vaincus.

II

Après un certain âge, on espère un peu de repos, non? On pense le mériter. Je le pensais, en tout cas. Mais alors on commence à comprendre que la récompense du mérite n'est pas l'affaire de l'existence.

Aussi, quand on est jeune, on croit pouvoir prédire les tourments et les tristesses que l'âge apportera sans doute. On s'imagine esseulé, divorcé, veuf; les enfants vivant loin de soi, les amis mourant. On imagine la perte de *statut*, la perte de désir — et de choses désirables en soi-même. On peut aller plus loin et considérer sa propre mort qui approchera et que l'on ne pourra, quelle que soit la compagnie qu'on aura pu réunir autour de soi, affronter que seul. Mais tout cela est se projeter dans l'avenir. Ce qu'on ne fait pas, c'est se projeter dans l'avenir et s'imaginer regardant en arrière depuis ce point futur; apprenant les nouvelles émotions que le temps apporte, et découvrant par exemple que, les témoins de son existence se raréfiant, il y a moins de corroboration, et donc moins de certitude, quant à ce qu'on est ou a été. Même si l'on a gardé soigneusement des traces du passé — sous forme de mots, de sons ou d'images —, on peut s'apercevoir qu'on a pratiqué la mauvaise sorte d'archivage. Quelle était cette phrase qu'avait citée Adrian ? «L'Histoire est cette conviction issue du point où les imperfections de la mémoire croisent les insuffisances de la documentation.»

Je m'intéresse encore à l'histoire et, bien sûr, j'ai suivi toute l'histoire officielle qui s'est déroulée durant ma propre vie — la chute du communisme, Mrs Thatcher, le 11 septembre, le réchauffement climatique — avec le mélange habituel de crainte, d'anxiété et de prudent optimisme. Mais je ne me suis jamais senti aussi confiant avec elle qu'avec l'histoire de la Grèce ou de la Rome antiques, ou de l'Empire britannique, ou de la Révolution russe. Peut-être est-ce simplement que je me sens en terrain plus sûr avec l'histoire sur laquelle on s'est mis plus ou moins d'accord. Ou peut-être est-ce de nouveau ce paradoxe : l'histoire qui se déroule sous notre nez devrait être la plus nette, et pourtant c'est la plus trouble. Nous vivons dans le temps, il nous borne et nous détermine, et il est censé mesurer l'histoire, non ? Mais si nous ne pouvons pas le comprendre, ne pouvons pas saisir les mystères de son évolution, quelles chances avons-nous avec l'histoire — même notre petite histoire personnelle et amplement non documentée?

Quand on est jeune, quiconque a plus de trente ans nous paraît d'âge mûr, plus de cinquante, carrément vieux. Et le temps, en passant, confirme qu'on ne se trompait pas tant que ça… Ces petites différences d'âge qui sont si cruciales et si flagrantes lorsqu'on est jeune s'estompent. On finit par appartenir tous à la même catégorie, celle des non-jeunes. Ce qui ne m'a jamais beaucoup gêné pour ma part.

Mais il y a des exceptions à la règle. Pour certaines personnes, une différence d'âge affirmée dans la jeunesse ne disparaît jamais vraiment : l'aîné(e) reste l'aîné(e), même quand les deux sont des vieillards cacochymes. Pour certaines personnes, une différence de, disons, cinq mois signifie que l'un — ou l'une — se considérera perversement toujours plus sage et plus avisé(e) que l'autre, quelles que soient les preuves du contraire. Ou peut-être devrais-je dire *à cause* des preuves du contraire. *Parce qu'*il est évident à tout observateur objectif que la balance a penché en faveur de la personne un peu plus jeune, l'autre s'en tient à sa présomption de supériorité d'une façon encore plus obstinée. Encore plus névrotique.

J'écoute encore pas mal de Dvořák, à propos. Pas tellement les symphonies ; à présent je préfère les quatuors à cordes. Mais Tchaïkovski s'est éloigné comme ces génies qui fascinent dans la jeunesse, conservent un pouvoir résiduel au mitan de la vie, mais paraissent plus tard, sinon embarrassants, d'une certaine façon moins pertinents. Je ne dis pas qu'elle avait raison. Il n'y a rien de mal à être un génie qui peut fasciner les jeunes. Il y a plutôt quelque chose qui cloche chez des jeunes qui ne peuvent pas être fascinés par un génie. Soit dit en passant, je ne pense pas que la musique d'*Un homme et une femme* soit une œuvre géniale. Je ne le pensais même pas alors. En revanche, je me souviens parfois de Ted Hughes et je souris à l'idée que, en fait, il n'a jamais été à court d'animaux.

Je m'entends bien avec Susie. Assez bien, en tout cas. Mais la jeune génération ne ressent plus le besoin, ni même l'obligation, de garder le contact. Du moins, pas «garder le contact» comme dans «passer voir». Un mail fera l'affaire pour papa — dommage qu'il n'ait pas appris à échanger des textos. Oui, il est à la retraite maintenant, toujours vaguement occupé avec ses mystérieux «projets», je doute qu'il termine un jour quelque chose, mais au moins ça maintient les neurones en activité, mieux que le golf, et oui, on comptait passer là-bas la semaine dernière, mais on a eu un empêchement. J'espère vraiment qu'il n'aura pas la maladie d'Alzheimer, c'est ma plus grande crainte en fait, parce que, eh bien, il est peu probable que maman le reprenne, n'est-ce pas ?

Non : j'exagère, je déforme. Ce ne sont pas les sentiments de Susie, j'en suis sûr. La vie solitaire a ses moments d'apitoiement sur soi et de paranoïa. Susie et moi nous entendons bien.

Une de nos amies (je dis encore instinctivement ça, bien que Margaret et moi soyons divorcés depuis plus longtemps qu'on n'a été mariés) avait un fils qui jouait dans un groupe de rock punk. Je lui ai demandé si elle avait entendu leurs chansons. Elle en a mentionné une intitulée *Chaque jour est un dimanche*. Je me souviens d'avoir ri en songeant avec quelque soulagement que le vieil ennui adolescent se perpétue d'une génération à l'autre ; et qu'on a recours au même esprit sarcastique pour y échapper. « Chaque jour est un dimanche » — ces mots me ramenaient à mes propres années de stagnation, à cette terrible attente que la vraie vie commence. J'ai demandé à notre amie quelles étaient les autres chansons du groupe. « Non, a-t-elle répondu, c'est leur chanson, leur unique chanson. — Que dit-elle alors ? ai-je demandé. — Comment ça ? — Eh bien, quels sont les mots suivants ? — Tu n'y es pas, hein ? a-t-elle dit. *C'est* la chanson. Ils répètent la phrase, encore et encore, jusqu'à ce que la chanson choisisse de finir. » Je me rappelle avoir souri. « Chaque jour est un dimanche » — ça ne ferait pas une mauvaise épitaphe, n'est-ce pas ?

C'était une de ces longues enveloppes blanches à fenêtre. Je ne sais pas pour vous mais, pour ma part, je ne suis jamais pressé de les ouvrir. Il fut un temps où de telles lettres annonçaient une autre étape douloureuse de mon divorce — c'est peut-être pourquoi je m'en méfie. À présent elles peuvent contenir quelque reçu fiscal pour la poignée d'actions à rendement pitoyablement bas que j'ai achetées quand j'ai pris ma retraite, ou une autre demande de cette œuvre caritative à laquelle j'apporte déjà ma contribution par prélèvement automatique. Alors j'ai oublié ça jusqu'au moment, plus tard dans la journée, où j'ai rassemblé tous les papiers traînant dans l'appartement, jusqu'à la moindre enveloppe, à fins de recyclage. Celle-là s'est révélée contenir une lettre venant d'un cabinet d'avocats dont je n'avais jamais entendu parler : MM. Coyle, Innes & Black. Une certaine Eleanor Marriott écrivait « au sujet de la succession de Mrs Sarah Ford (décédée) ». Il m'a fallu un moment pour piger.

Nous vivons en supposant si aisément certaines choses, n'est-ce pas ? Par exemple, que « mémoire égale événements plus temps ». Mais c'est bien plus biscornu que ça. Qui a dit qu'un souvenir est ce qu'on croyait avoir oublié ? Et il devrait être évident que le temps agit moins comme un fixatif que comme un solvant. Mais il n'est pas commode — il n'est pas utile — de croire cela ;

ça ne nous aide pas à aller de l'avant; aussi n'y prêtons-nous pas attention.

On me priait de confirmer mon adresse et de fournir une photocopie de mon passeport. On m'informait que Mrs Sarah Ford m'avait légué la somme de cinq cents livres et deux «documents». J'ai trouvé cela très étrange. D'abord, de recevoir un legs de quelqu'un dont je n'avais jamais connu, ou avais oublié, le prénom. Et cinq cents livres semblaient être une somme assez curieuse. Ni rien, ni vraiment quelque chose... Je me suis dit que cela aurait peut-être plus de sens si je savais quand elle avait rédigé son testament. Quoique... si elle l'avait fait dans un passé assez lointain, la somme équivalente serait maintenant nettement plus importante, et aurait encore moins de sens.

J'ai confirmé mon existence, mon identité et mon adresse en joignant les photocopies réclamées. J'ai demandé si on pouvait me donner la date du testament. Puis, un soir, je me suis installé dans mon fauteuil et j'ai essayé de ressusciter ce week-end humiliant à Chislehurst quelque quarante ans plus tôt. J'ai cherché un moment particulier, un incident ou une remarque qui aurait pu paraître digne de quelque remerciement ou récompense... Mais ma mémoire est devenue, de plus en plus, un mécanisme qui rapporte des données apparemment véridiques sans grande variation. J'ai sondé le passé, j'ai attendu, j'ai tenté d'amener par la ruse ma mémoire à sortir de ses rails — en vain. J'étais quelqu'un qui était sorti avec la fille de Mrs Sarah Ford (décédée) pendant une année environ, qui avait été traité avec condescendance par son mari, hautainement examiné par son fils, et manipulé par ladite fille. Douloureux pour moi à l'époque, mais ne nécessitant guère des excuses maternelles ultérieures sous la forme d'un legs de cinq cents livres.

Et, de toute façon, cette douleur n'avait pas duré. Comme je l'ai dit, j'ai un certain instinct de conservation. J'avais bel et bien chassé Veronica de mon esprit, de mon histoire. Aussi, quand le temps m'a — ne m'a que trop vite — entraîné vers l'âge mûr, et que j'ai commencé à regarder comment ma vie s'était déroulée, et à considérer les chemins non empruntés, ces lancinants «Et si…? », je ne me suis jamais surpris à imaginer — pas même dans le sens du pire, ni, en fait, du meilleur — comment les choses auraient pu être avec Veronica. Annie oui, Veronica non. Et je n'ai jamais regretté d'avoir vécu ces années avec Margaret, même si on a fini par divorcer.

J'avais beau essayer — ce qui n'était certes pas très difficile — de le faire, j'en venais rarement à imaginer une vie très différente de celle qui a été la mienne. Je ne pense pas que ce soit de la complaisance ; c'est plus probablement un manque d'imagination, ou d'ambition, ou quelque chose comme ça. Je suppose que la vérité est que je ne suis pas assez excentrique pour avoir fait autre chose que ce que j'ai fait de ma vie.

Je n'ai pas lu tout de suite la lettre de l'avocate ; j'ai regardé la pièce jointe : une longue enveloppe couleur crème avec mon nom dessus. Une écriture que je n'avais vue qu'une fois dans ma vie, mais néanmoins familière. *Anthony Webster Esq.* — la façon dont les hampes et les jambages se terminaient par une petite boucle me ramena à quelqu'un que je n'avais connu que l'espace d'un week-end ; quelqu'un dont l'écriture, dans son aspect assuré plutôt que dans sa forme, évoquait une femme peut-être «assez excentrique» pour faire des choses que je n'avais pas faites — mais lesquelles au juste, je ne pouvais le savoir ou le deviner. Un bout de Scotch était collé au centre du bord supérieur de l'enveloppe. J'ai cru qu'il continuait derrière pour mieux la fermer, mais non : on l'avait coupé le long du bord. Vraisemblablement cette lettre avait été attachée à autre chose.

Finalement j'ai ouvert l'enveloppe et j'ai lu : «Cher Tony, il me semble juste que vous ayez l'objet ci-joint. Adrian a toujours parlé chaleureusement de vous, et peut-être y verrez-vous un mémento intéressant, quoique douloureux, de ce qui s'est passé autrefois. Je vous laisse aussi un peu d'argent. Vous trouverez peut-être cela bizarre, et, à vrai dire, je ne suis pas très sûre de mes propres motivations. Quoi qu'il en soit, je suis désolée pour la manière dont ma famille vous a traité il y a déjà si longtemps, et je vous souhaite tout ce que vous pouvez désirer, même d'outre-tombe. Amicalement, Sarah Ford. P.-S. Cela peut sembler étrange, mais je pense que les derniers mois de sa vie ont été heureux. »

L'avocate me demandait un relevé d'identité bancaire afin que l'argent puisse être versé directement sur mon compte. Elle ajoutait qu'elle joignait le premier des deux « documents » qui m'étaient destinés. L'autre était encore en la possession de la fille de Mrs Ford — ce qui, ai-je pensé, explique sans doute le bout de Scotch coupé. Mrs Marriott essayait d'obtenir ce second document. Et, pour répondre à ma question, le testament de Mrs Ford avait été rédigé cinq ans plus tôt.

Margaret avait coutume de dire qu'il y a deux sortes de femmes : celles qui sont « transparentes », et celles qui évoquent un certain mystère. Et que c'est la première chose qu'un homme sent, et la première chose qui l'attire, ou non. Certains hommes sont attirés par les premières, d'autres par les secondes. Margaret — vous n'aurez pas besoin que je le précise — était du genre transparent, mais parfois elle pouvait envier celles qui avaient, ou se donnaient, un air de mystère.

« Tu me plais comme tu es, lui ai-je dit une fois.

— Mais tu me connais si bien maintenant », a-t-elle répondu. On était mariés depuis six ou sept ans. «Est-ce que tu ne préférerais pas que je sois un peu plus… énigmatique ?

— Je ne veux pas que tu sois une femme mystérieuse… Je crois que je détesterais ça. Ou bien ce n'est qu'une façade, un jeu, une technique pour séduire les hommes, ou bien la femme mystérieuse est un mystère même pour elle-même, et c'est pire que tout.

— Tony, tu parles comme un vrai homme d'expérience…

— Eh bien, je n'en suis pas un, ai-je dit — conscient, bien sûr, qu'elle me taquinait. Je n'ai pas connu tant de femmes que ça dans ma vie.

— "Je ne connais peut-être pas beaucoup les femmes, mais je sais ce qui me plaît" ?

— Je n'ai pas dit ça, en tout cas pas comme ça… Mais il me semble que c'est parce que j'en ai connu relativement peu que je sais ce que je pense d'elles. Et ce que j'aime en elles. Si j'en avais connu davantage, je serais plus perplexe.»

Margaret a dit : «Maintenant je ne sais pas trop si je dois me sentir flattée ou non.»

C'était avant que notre mariage tourne court, bien sûr. Mais il n'aurait pas duré plus longtemps si Margaret avait été plus mystérieuse, je peux vous l'assurer — et le lui assurer.

Et quelque chose d'elle avait déteint sur moi au fil des ans. Par exemple, si je ne l'avais pas connue, je me serais peut-être engagé dans un patient échange de lettres avec l'avocate. Mais je ne voulais pas attendre docilement une autre enveloppe à fenêtre. Alors j'ai appelé Mrs Eleanor Marriott et je me suis enquis de l'autre document qu'on m'avait légué.

« Le testament le décrit comme un journal intime.

— Un journal ? Est-ce celui de Mrs Ford ?

— Non. Permettez, je vérifie le nom. » Un silence. « Adrian Finn. »

Adrian ! Comment Mrs Ford s'était-elle retrouvée en possession de son journal ? Ce qui n'était pas une question pour l'avocate. « C'était un ami », ai-je seulement dit. Puis : « Cela avait probablement été attaché à la lettre que vous m'avez transmise.

— Je ne peux pas en être sûre.

— L'avez-vous vu ?

— Non, je ne l'ai pas vu. » Son attitude était convenablement prudente, plutôt que peu obligeante.

« Veronica Ford a-t-elle donné une raison de le garder ?

— Elle a dit qu'elle n'était pas encore prête à s'en séparer. »

D'accord. « Mais c'est à moi ?

— Cela vous a certainement été légué dans le testament. »

Hmm. Je me suis demandé s'il y avait quelque subtilité juridique entre ces deux dernières phrases. « Savez-vous comment elle l'a… obtenu ?

— J'ai cru comprendre qu'elle vivait non loin

de chez sa mère depuis quelques années. Elle a dit qu'elle a mis certaines choses en sécurité chez elle. Au cas où la maison serait cambriolée. Bijoux, argent, documents.

— Est-ce légal?

— Eh bien, ce n'est pas illégal. Cela pourrait bien être prudent…»

On ne semblait pas avancer beaucoup. «Que je comprenne bien : elle aurait dû vous remettre ce document, ce journal. Vous l'avez demandé, et elle refuse de le donner.

— Pour le moment, oui, c'est le cas.

— Pouvez-vous me donner son adresse?

— Il me faudrait sa permission pour cela.

— Alors voudriez-vous avoir l'obligeance de tâcher d'obtenir cette permission?»

Avez-vous remarqué que, lorsqu'on discute avec quelqu'un comme un avocat, au bout d'un moment, on cesse de s'exprimer comme à son habitude et on finit par parler comme lui?

Moins il reste de temps à vivre, moins on a envie de le perdre. C'est logique, n'est-ce pas? Mais comment on emploie les heures préservées… eh bien, c'est une autre chose qu'on n'aurait probablement pas prévue dans sa jeunesse. Par exemple, je passe pas mal de temps à mettre les choses en ordre — et je ne suis même pas quelqu'un de désordonné. Mais c'est une des modestes satisfactions de l'âge. Je range; je recycle; j'entretiens et je repeins mon appartement pour en maintenir la valeur. J'ai fait mon testament; et mes rapports avec ma fille, mon gendre, mes petits-enfants et mon ex-femme sont, sinon parfaits, du moins normaux. Ou en tout cas m'en suis-je persuadé. Je suis parvenu à la relative sérénité d'un homme pacifique, et même paisible. Parce que je fais le nécessaire. Je n'aime pas le désordre, et je n'aime pas en laisser non plus. J'ai opté pour l'incinération, si vous voulez savoir.

J'ai donc rappelé Mrs Marriott, pour lui demander les coordonnées de l'autre enfant de Mrs Ford, John, alias Jack. J'ai proposé à Margaret de déjeuner ensemble un de ces jours. Et j'ai pris rendez-vous avec mon propre avocat. Non, c'est bien trop grandiloquent... Je suis sûr que frère Jack a ce qu'il doit appeler «mon avocat». Dans mon cas, c'est le type du coin qui m'a aidé à rédiger mon testament; il a un petit bureau au-dessus d'une boutique de fleuriste, et semble parfaitement compétent. Je l'aime bien aussi parce qu'il n'a pas essayé de m'appeler par mon prénom, ni suggéré que je l'appelle par le sien. Pour moi il est donc seulement « T. J. Gunnell», et je ne cherche même pas à savoir ce que signifient ses initiales. Vous savez ce que je redoute? C'est d'être un vieillard à l'hôpital et d'entendre des infirmières que je n'ai jamais vues m'appeler Anthony ou, pis encore, Tony... «Laissez-moi vous injecter ça dans le bras, Tony. Mangez un peu plus de cette bouillie, Tony. Êtes-vous allé à

102

la selle, Tony?» Bien sûr, quand cela arrivera, un excès de familiarité de leur part sera sans doute le cadet de mes soucis. Mais quand même…

J'ai fait une chose assez curieuse quand j'ai rencontré Margaret. J'ai exclu Veronica de l'histoire de ma vie. J'ai prétendu qu'Annie avait été ma première vraie petite amie. Je sais que la plupart des garçons exagèrent le nombre de copines qu'ils ont eues; j'ai fait le contraire. J'ai tiré un trait et je suis reparti de là. Margaret a été un peu surprise que j'aie été si lent — non à perdre ma virginité, mais à avoir une relation sérieuse —, mais aussi, ai-je pensé alors, un peu charmée; elle a dit quelque chose au sujet de la timidité séduisante chez un homme.

Le plus curieux était qu'il était facile de donner cette version de mon histoire, parce que c'est ce que je me racontais de toute façon. Je considérais ma liaison avec Veronica comme un échec — son mépris, mon humiliation — et je l'effaçais de mon passé. Je n'avais gardé aucune lettre, et qu'une seule photo d'elle, que je n'avais pas regardée depuis bien longtemps.

Mais au bout d'un an ou deux de mariage, quand je me suis senti mieux vis-à-vis de moi-même, et pleinement confiant en notre relation, j'ai dit la vérité à Margaret. Elle a écouté, a posé des questions pertinentes, et elle a compris. Elle a demandé à voir la photo — celle que j'avais prise Trafalgar Square —, l'a examinée, a hoché la tête, n'a fait aucun commentaire. C'était très bien ainsi. De quel droit aurais-je espéré quelque chose — et surtout pas des mots d'éloge pour mon ancienne petite amie. Je n'en voulais pas de toute façon. Je voulais seulement tirer un trait sur le passé, et que Margaret pardonne mon curieux mensonge par omission. Ce qu'elle a fait.

Mr Gunnell est un homme maigre et calme, que le silence ne gêne pas. Après tout, celui-ci coûte à ses clients tout autant que le temps de parole.

« Mr Webster.

— Mr Gunnell. »

Nous nous sommes donné du *mister* pendant les trois quarts d'heure suivants, au cours desquels il a dispensé les conseils professionnels pour lesquels je le payais. Il m'a dit qu'aller voir la police et essayer de les persuader d'inculper pour vol une femme d'âge mûr qui avait perdu récemment sa mère serait, selon lui, stupide. Ça m'a plu. Non le conseil lui-même, mais sa façon de le formuler. « Stupide » : beaucoup mieux que « déconseillé » ou « inapproprié ». Il m'a aussi recommandé de ne pas « importuner » Mrs Marriott.

« Les avocats n'aiment-ils pas être "importunés", Mr Gunnell?

— Disons que c'est différent si l'importun est le client. Mais, en l'occurrence, la famille Ford règle la note. Et vous seriez surpris de voir comme des lettres peuvent glisser facilement au fond d'un dossier.»

J'ai regardé la pièce couleur crème avec ses plantes en pot, ses étagères pleines de livres de droit, son inoffensive reproduction d'un paysage anglais et, oui, ses armoires à dossiers. J'ai tourné de nouveau les yeux vers Mr Gunnell.

«Autrement dit, ne pas lui donner l'impression qu'elle a affaire à un barjo.

— Oh, elle ne penserait jamais cela, Mr Webster. Et "barjo" n'appartient guère à la terminologie juridique.

— Que pourriez-vous dire à la place?

— Nous pourrions nous contenter de "contrariant"... C'est suffisamment fort.

— D'accord. Et un autre point : combien de temps faut-il pour liquider une succession?

— Si elle est assez simple... dix-huit mois, deux ans.»

Deux ans! Je n'allais pas attendre aussi longtemps le journal d'Adrian.

«Eh bien, on s'occupe d'abord de l'affaire principale, mais il y a toujours des choses qui traînent. Certificats d'actions perdus. Chiffres devant concorder avec ceux du fisc. Et des lettres sont parfois égarées.

— Ou glissent au fond d'un dossier.

— Cela aussi, Mr Webster.

— Avez-vous d'autres conseils?

— Je serais prudent avec le mot "voler". Cela pourrait polariser inutilement les choses...

105

— Mais n'est-ce pas ce qu'elle a fait ? Rappelez-moi donc cette formule juridique quand quelque chose est d'une évidence flagrante…

— *Res ipsa loquitur* ?

— C'est ça. »

Mr Gunnell est resté un instant silencieux. « Eh bien, je n'ai pas souvent de dossiers criminels sur mon bureau, mais la phrase clef lorsqu'il s'agit de vol est, si je me souviens bien, "une intention de priver définitivement" le propriétaire de son bien. Avez-vous une idée de ce que pourrait être l'intention de miss Ford, ou son état d'esprit plus général ? »

J'ai ri. Avoir une idée de ce que pouvait être l'état d'esprit de Veronica a été un de mes problèmes il y a quarante ans. Aussi ai-je sans doute ri un peu trop fort ; et Mr Gunnell me manque pas de perspicacité.

« Je ne veux pas être indiscret, Mr Webster, mais a-t-il pu y avoir quelque chose dans le passé, peut-être, entre miss Ford et vous, qui pourrait avoir son importance si nous devions en venir à une procédure civile ou même pénale ? »

Quelque chose entre miss Ford et moi ? Une image particulière m'est soudain venue à l'esprit, tandis que je regardais les cadres de ce que je supposais être des photos de famille.

« Vous avez rendu les choses beaucoup plus claires, Mr Gunnell. Je mettrai un timbre "plein tarif" quand je réglerai ce que je vous dois. »

Il a souri. «En fait, c'est une chose que nous remarquons. Dans certains cas.»

Mrs Marriott fut en mesure, deux semaines plus tard, de me fournir une adresse électronique pour contacter Mr John Ford. Miss Veronica Ford n'avait pas permis que ses coordonnées me soient transmises. Et Mr John Ford était manifestement prudent lui-même : pas de numéro de téléphone, pas d'adresse postale.

Je me souvenais de frère Jack assis sur un canapé, décontracté et sûr de lui. Veronica venait de m'ébouriffer les cheveux et demandait : «Il fera l'affaire, non?» Et Jack m'avait fait un clin d'œil. Je n'y avais pas répondu.

J'ai évité toute familiarité dans mon courriel. J'ai présenté mes condoléances. J'ai prétendu avoir de meilleurs souvenirs de Chislehurst que ce n'était le cas. J'ai expliqué la situation, et demandé à Jack d'exercer l'influence qu'il pouvait avoir pour persuader sa sœur de me remettre le second «document», que l'on m'avait dit être le journal intime de mon ancien camarade de lycée Adrian Finn.

Une dizaine de jours plus tard, j'ai reçu un message de frère Jack. Il y avait un long préambule à propos de voyages, et de semi-retraite, et de l'humidité de Singapour, de Wi-Fi et de cybercafés. Et puis : «Bon, assez de bavardage. Désolé mais je ne suis pas le gardien de ma sœur — ne l'ai jamais été, juste entre nous. J'ai cessé il y a bien longtemps d'essayer de la faire changer d'avis sur quoi que ce soit. Et franchement, un mot de ma part en votre faveur pourrait bien avoir l'effet contraire. Non que je ne vous souhaite pas d'obtenir gain de cause dans cette situation délicate. Ah, voilà mon rickshaw — il faut que je file. Salutations, John Ford.»

Pourquoi tout cela m'a-t-il semblé peu convaincant? Pourquoi l'ai-je tout de suite imaginé assis tranquillement chez lui — dans quelque demeure cossue donnant sur un terrain de golf dans le Surrey — et se moquant de moi? Son serveur de messagerie était aol.com, ce qui ne m'apprenait rien. J'ai regardé l'heure d'envoi de son mail, qui était plausible aussi bien pour Singapour que pour le Surrey. Pourquoi imaginais-je que frère Jack m'avait vu venir et s'amusait un peu à mes dépens? Peut-être parce que, dans ce pays, les nuances de classes sociales résistent plus longtemps au passage des années que les différences d'âge. Les Ford avaient été plus huppés que les Webster alors, et pas question qu'ils ne le restent pas. Ou n'était-ce que de la paranoïa de ma part?

Rien d'autre à faire, bien entendu, que de répondre poliment et demander s'il pouvait me communiquer les coordonnées de Veronica.

Quand les gens disent : «C'est encore une belle femme», ils veulent généralement dire : «C'était une belle femme.» Mais quand je dis cela à propos de Margaret, je suis sincère. Elle pense — elle sait

— qu'elle a changé, et c'est vrai; quoique moins à mes yeux qu'aux yeux de n'importe qui d'autre. Naturellement, je ne peux pas parler pour son autre ex, le gérant de restaurant. Mais je dirais ça comme ça : elle ne voit que ce qui a changé, je ne vois que ce qui est resté pareil. Ses cheveux ne sont plus longs, ou relevés en un chignon banane; à présent ils sont très courts, et le gris est laissé visible. Ces robes rustiques qu'elle portait ont été remplacées par des cardigans et des pantalons bien coupés. Certaines des taches de rousseur que j'aimais tant sont maintenant plutôt des taches de vieillesse. Mais ce sont encore les yeux que nous regardons, n'est-ce pas? C'est là que nous avons trouvé l'autre personne, et c'est là que nous la trouvons encore : ces mêmes yeux qui étaient dans ce même visage quand nous nous sommes rencontrés, avons couché ensemble, nous sommes mariés, sommes partis en voyage de noces, avons souscrit un emprunt-logement, avons fait les courses et la cuisine et passé nos vacances ensemble, nous sommes aimés et avons eu un enfant ensemble. Et qui étaient les mêmes quand nous nous sommes séparés.

Mais ce ne sont pas seulement les yeux. La structure osseuse reste la même, ainsi que les gestes instinctifs, les nombreuses façons d'être soi-même; et sa façon à elle, même après tout ce temps et cette distance, d'être avec moi.

«Alors de quoi s'agit-il, Tony?»

J'ai ri. Nous avions à peine regardé nos menus,

mais je n'ai pas trouvé la question prématurée. Elle est comme ça, Margaret. «Quand tu dis que tu n'es pas sûr de vouloir un autre enfant, est-ce que tu veux dire que tu n'es pas sûr de vouloir en avoir un autre avec moi?» «Pourquoi penses-tu que le divorce est une attribution de responsabilité?» «Que vas-tu faire du reste de ta vie maintenant?» «Si tu avais vraiment voulu partir en vacances avec moi, est-ce que ça n'aurait pas été une bonne idée de réserver des billets?» Et «de quoi s'agit-il, Tony?».

Certaines personnes restent plus ou moins anxieuses au sujet des anciens amants ou anciennes amantes de leur partenaire, comme si elles les craignaient encore. Margaret et moi étions exempts d'un tel sentiment. Non que dans mon cas il y eût toute une double file d'ex-petites amies... Et si elle se permettait de leur donner des sobriquets, c'était son droit, n'est-ce pas?

«En fait, tiens-toi bien, il s'agit de Veronica Ford.

— La Toquée?» Je savais qu'elle dirait cela, alors je n'ai pas bronché. «Elle est de retour, après tout ce temps? Tu avais pourtant bien échappé à *ça*, Tony.

— Je sais», ai-je répondu. Il est possible que, lorsque j'en étais finalement venu à parler de Veronica à Margaret, j'en aie un peu rajouté en me faisant paraître plus dupé, et Veronica plus instable, qu'on ne l'avait été. Mais puisque c'était ma version de cette histoire qui avait inspiré ce sobriquet, je ne pouvais guère trouver à y redire. Tout ce que je pouvais faire, c'était ne pas l'employer moi-même.

Je lui ai raconté l'affaire récente, ce que j'avais fait, comment j'avais réagi. Comme je le disais, quelque chose de Margaret avait déteint sur moi au fil des ans, et c'est peut-être pourquoi elle a hoché la tête en signe d'approbation ou d'encouragement à plusieurs moments.

«Pourquoi à ton avis la mère de la Toquée t'a-t-elle laissé cinq cents livres?

— Je n'en ai pas la moindre idée.

— Et tu penses que le frère te faisait marcher?

— Oui. Ou du moins, qu'il n'était pas naturel avec moi.

— Mais tu ne le connais pas du tout, si?

— Je ne l'ai rencontré qu'une fois, c'est vrai. Je suppose que je me méfie de toute la famille.

— Et pourquoi à ton avis la mère s'est-elle retrouvée en possession du journal d'Adrian?

— Je n'en sais rien.

— Il le lui a peut-être laissé parce qu'il ne se fiait pas à la Toquée?

— Ça n'a pas de sens.»

Il y a eu un silence. On a mangé. Puis Margaret a tapoté mon assiette avec son couteau.

«Et si la vraisemblablement-toujours-célibataire miss Veronica Ford entrait dans ce restaurant et s'asseyait à notre table, comment réagirait le depuis-longtemps-divorcé mister Anthony Webster?»

111

Elle met toujours le doigt dessus, non ?

«Je ne pense pas que je serais particulièrement content de la voir.»

Ce qu'il y avait de compassé dans le ton de ma voix a fait sourire Margaret. «Mais intrigué ? Tu songerais à retrousser ta manche et enlever ta montre ?»

J'ai rougi. Vous n'avez jamais vu rougir un sexagénaire chauve ? Oh, ça arrive, comme ça arrive à un garçon de quinze ans chevelu et boutonneux. Et parce que c'est plus rare, ça vous renvoie à cette époque où la vie ne vous semblait être qu'une longue suite de moments embarrassants.

«Je n'aurais pas dû te raconter ça.»

Elle a pioché dans sa salade de tomates et de roquette.

«Vous êtes sûr qu'il n'y a pas quelque… feu non éteint dans votre poitrine, Mr Webster ?

— J'en suis certain.

— Eh bien alors, à moins qu'elle n'entre en contact avec toi, à ta place je laisserais tomber. Encaisse le chèque, emmène-moi en vacances bon marché, et oublie ça. Avec deux cent cinquante livres chacun, on pourrait sans doute aller jusqu'à Jersey ou Guernesey.

— J'aime quand tu me taquines, ai-je dit. Même après toutes ces années.»

Elle s'est penchée et m'a tapoté la main. «C'est bien d'avoir encore de l'affection l'un pour l'autre. Et aussi de te connaître assez bien pour

112

savoir que tu ne te décideras jamais à organiser ces vacances.

— Seulement parce que je sais que tu ne parlais pas sérieusement.»

Elle a souri. Et, pendant quelques secondes, elle a presque eu l'air énigmatique. Mais Margaret ne peut pas vraiment évoquer l'Énigme — ce premier pas vers la Femme mystérieuse. Si elle avait voulu que je dépense cet argent en réservant des vacances pour deux, elle l'aurait dit. Oui, je me rends compte que c'est précisément ce qu'elle *a* dit, mais…

Mais bref. «Elle a volé ce qui m'appartient, ai-je dit, peut-être un peu plaintivement.

— Tu es sûr que tu veux l'avoir?

— C'est le journal d'Adrian. C'est mon ami. C'était mon ami. C'est à moi.

— Si ton ami avait voulu que tu aies son journal, il aurait pu te le laisser il y a quarante ans, sans intermédiaire…

— Oui.

— Qu'est-ce qu'il y a dedans à ton avis?

— Aucune idée. Il est à moi, c'est tout.» J'ai reconnu à cet instant une autre raison à ma détermination. Ce journal témoignait du passé; c'était — ce pourrait être — une corroboration. Cela pourrait perturber les banales réitérations de la mémoire. Cela pourrait déclencher quelque chose — mais j'ignorais quoi.

«Eh bien, tu peux toujours découvrir où habite la Toquée. Site internet "Retrouvez vos amis",

113

annuaire téléphonique, détective privé… Vas-y, sonne à la porte, réclame ton dû.

— Non.

— Ce qui te laisse le cambriolage, a-t-elle suggéré gaiement.

— Tu plaisantes.

— Alors laisse tomber. À moins que tu n'aies, comme on dit, des "problèmes liés à ton passé" qu'il te faut "affronter pour pouvoir aller de l'avant". Mais cela ne te ressemble guère, hein, Tony ?

— Non, je ne crois pas », ai-je répondu, assez prudemment. Parce qu'une partie de moi-même se demandait si, jargon psy à part, il n'y avait pas quelque vérité là-dedans.

Il y a eu un silence. Le garçon a enlevé nos assiettes. Margaret n'avait aucun mal à lire dans mes pensées.

« Il est vraiment touchant que tu sois si obstiné. Je suppose que c'est une façon de ne pas perdre le fil de l'histoire, quand on arrive à notre âge.

— Je ne pense pas que j'aurais réagi différemment il y a vingt ans.

— Peut-être pas. » Elle a fait un signe pour demander l'addition. « Mais, tiens, que je te raconte quelque chose au sujet de Caroline. Non, tu ne la connais pas. C'est une amie rencontrée après qu'on s'est séparés. Elle avait un mari, deux jeunes enfants, et une jeune fille au pair dont elle n'était pas très sûre. Elle n'avait pas d'affreux soupçons ni rien. La fille était polie la plupart du temps, les enfants ne se plaignaient pas. Mais Caroline avait le sentiment qu'elle ne savait pas vraiment avec qui elle les laissait. Alors elle a demandé conseil à une amie — non, pas moi. "Fouille dans ses affaires", a dit cette amie. "Quoi?" "Eh bien, ça te tracasse manifestement. Attends que ce soit son jour de sortie, regarde dans sa chambre, lis ses lettres. C'est ce que je ferais." Et donc, à la première occasion, Caroline a fureté dans les affaires de la fille. Et elle a trouvé son journal intime. Qu'elle a lu. Et qui était plein de médisances, du genre "Je travaille pour une vraie vache" et "Le mari, ça va — je l'ai surpris à reluquer mes fesses — mais elle, c'est une connasse". Et "Est-ce qu'elle sait ce qu'elle fait à ces pauvres gosses?" Il y avait des trucs vraiment, *vraiment* raides.

— Alors, qu'est-ce qui s'est passé? Elle a renvoyé la fille?

— Tony, a répondu mon ex-femme, il ne s'agit pas de ça.»

J'ai hoché la tête. Margaret a vérifié l'addition en passant le coin de sa carte de crédit le long de la colonne des prix.

Deux autres choses qu'elle a dites au fil des années : qu'il y a des femmes qui ne sont pas mystérieuses du tout, mais que seule l'inaptitude des hommes à les comprendre fait paraître telles. Et que, à son avis, les toquées, les *fruitcakes* comme on dit chez nous, devraient être enfermées dans des boîtes avec la tête de la reine sur le couvercle. J'avais dû lui parler aussi de ce détail de ma vie à Bristol.

Une semaine environ a passé, et le nom de frère Jack est réapparu dans mes messages reçus. «Voici l'adresse mail de Veronica, mais ne lui dites pas que c'est moi qui vous l'ai donnée. Il m'en cuirait et tout ça. Rappelez-vous les trois singes de la sagesse — ne rien voir de mal, ne rien entendre de mal, ne rien dire de mal. C'est ma devise, en tout cas. Grand ciel bleu, vue du Harbour Bridge de Sydney, ou presque. Ah, voilà mon rickshaw. Salutations, John F.»

J'étais surpris. Je n'avais pas compté sur son aide. Mais que savais-je de lui ou de sa vie? Je n'avais fait qu'extrapoler à partir de lointains souvenirs d'un mauvais week-end. J'avais toujours supposé que la naissance et l'éducation lui avaient donné un avantage sur moi qu'il avait maintenu sans effort jusqu'alors. Je me souvenais d'Adrian disant qu'il avait lu quelque chose sur Jack dans une revue d'étudiants, mais qu'il ne s'attendait pas à le rencontrer (mais il ne s'était pas attendu non plus à sortir avec Veronica). Et il avait ajouté, sur un ton différent, plus dur : «Je *déteste* cette façon qu'ont les Anglais de ne jamais vouloir sérieusement être sérieux.» Je n'avais jamais su — parce que, bêtement, je n'avais jamais posé la question — ce qui avait motivé cette remarque.

On dit que le temps nous démasque, non? Peut-être avait-il démasqué et puni frère Jack pour son manque de sérieux… Et maintenant j'imaginais une vie différente pour le frère de Veronica, une vie où ses années d'étudiant rayonnaient, heureuses et pleines d'espoir, dans sa mémoire — de fait, la seule période où son existence était brièvement parvenue à ce sentiment d'harmonie auquel nous aspirons tous. Je l'imaginais, son diplôme en poche, placé grâce à son père dans une de ces grandes multinationales. Je l'imaginais s'en tirant assez bien au début, et puis, presque imperceptiblement, moins bien… Un gars sociable aux manières convenables, mais auquel faisait défaut ce qui permet de s'imposer dans un monde changeant. Ces formules enjouées pour mettre fin à une lettre ou à une conversation en venaient à paraître, non spirituelles, mais ineptes. Et, même s'il n'était pas vraiment poussé vers la sortie, la suggestion de retraite anticipée combinée avec d'occasionnelles missions de circonstance était assez claire. Il pouvait être une sorte de conseiller itinérant, épaulant le responsable local dans les grandes villes, réglant certains problèmes dans les plus petites. Alors il trouvait une façon plausible de se présenter comme quelqu'un qui a réussi dans la vie. «Vue du Harbour Bridge de Sydney, ou presque.» Je l'imaginais attablé avec son ordinateur portable à des terrasses de cafés équipés de Wi-Fi, parce que, franchement, c'était moins déprimant que de travailler dans la chambre d'un hôtel moins étoilé que ceux auxquels il avait été habitué.

J'ignore si c'est ainsi que fonctionnent les grandes firmes, mais j'avais trouvé une façon rassurante de penser à frère Jack. J'étais même parvenu à le déloger de cette belle demeure donnant sur un terrain de golf… Je n'irais bien sûr pas jusqu'à le plaindre. Et — c'était le point important — je ne lui devais rien non plus.

« Chère Veronica, ai-je commencé à écrire sur mon écran. Ton frère m'ayant très aimablement communiqué ton adresse électronique…»

Il me semble que cela peut être une des différences entre la jeunesse et la vieillesse : quand on est jeune, on invente différents avenirs pour soi-même ; quand on est vieux, on invente différents passés pour les autres.

Leur père conduisait une Humber Super Snipe. Les voitures n'ont plus ce genre de nom, n'est-ce pas ? J'ai une Volkswagen Polo. Mais Humber Super Snipe — c'étaient des mots qui vous coulaient aussi suavement de la bouche que « le Père, le Fils et le Saint-Esprit»… Humber Super Snipe. Armstrong Siddeley Sapphire. Jowett Javelin. Jensen Interceptor. Même Wolseley Farina et Hillman Minx[1].

Ne vous méprenez pas : je ne m'intéresse pas

1. *Snipe* : bécassine. *Minx* : «coquine, friponne».

aux voitures, anciennes ou modernes. Je me demande vaguement pourquoi on peut donner à une grande berline le nom d'un oiseau aussi petit que la bécassine, et si une Minx avait une nature féminine impétueuse. Mais je ne suis pas assez curieux pour chercher à l'apprendre. À ce stade, je préfère ne pas savoir.

Mais je songeais à la question de la nostalgie, et de savoir si j'en souffre. Je ne deviens certainement pas tout larmoyant au souvenir de quelque babiole de mon enfance ; et je ne veux pas non plus me leurrer sentimentalement au sujet de quelque chose qui n'était même pas vrai à l'époque — amour du vieux collège et ainsi de suite. Mais si « nostalgie » signifie : la puissante réminiscence de fortes émotions — et un regret que de tels sentiments ne soient plus présents dans notre vie —, alors je plaide coupable. J'ai la nostalgie de mes premiers temps avec Margaret, de la naissance et des premières années de Susie, de cette bourlingue américaine avec Annie. Et si nous parlons de sentiments forts qui ne reviendront jamais, je suppose qu'il est possible d'avoir la nostalgie de la souffrance remémorée comme du plaisir remémoré. Et cela élargit le champ, non ? Cela nous ramène aussi tout droit à la question de miss Veronica Ford.

« Prix du sang ? »
J'ai regardé les mots sans pouvoir leur trouver un sens. Elle avait effacé mon message et son

intitulé, et n'avait pas signé sa laconique réponse. J'ai dû revenir au mail que je lui avais envoyé et le relire pour comprendre que, grammaticalement, ses trois mots ne pouvaient répondre qu'à la question : pourquoi sa mère m'avait-elle légué cinq cents livres ? Mais cela n'avait aucun sens au-delà de ça… Aucun sang n'avait été versé. Mon amour-propre avait souffert, c'est vrai. Mais Veronica ne pouvait guère suggérer que sa mère m'offrait de l'argent pour me dédommager de la souffrance que sa fille m'avait causée autrefois, n'est-ce pas ? Ou le pouvait-elle ?

En même temps, il était logique que Veronica ne me donne pas une réponse simple, ne fasse ou ne dise pas ce que j'espérais ou attendais. En cela du moins elle était cohérente avec le souvenir que j'avais d'elle. De fait, j'avais parfois été tenté de voir en elle la femme mystérieuse, par opposition à la femme de clarté que j'avais épousée en la personne de Margaret ; et certes, je n'avais pas su où j'en étais avec elle, pas pu déchiffrer son cœur ou son esprit ou sa motivation. Mais une énigme est un mystère qu'on veut élucider ; je ne voulais pas élucider celui de Veronica, certainement pas après tant d'années. Elle avait été une jeune femme sacrément difficile quarante ans plus tôt, et — à en juger par cette brève et insolente réponse — ne semblait pas s'être adoucie avec l'âge. C'est ce que jc me suis dit fermement.

Quoique, pourquoi devrait-on s'attendre à ce que l'âge nous adoucisse ? Si ce n'est pas l'affaire de la vie de récompenser le mérite, pourquoi serait-ce son affaire de nous donner des sentiments plus chaleureux et plus amènes vers son terme? Quelle utilité pour l'évolution la nostalgie pourrait-elle bien avoir?

J'avais un ami qui, après de longues études de droit pour devenir magistrat, désenchanté, n'avait jamais pratiqué. Il m'a dit que le seul bénéfice de ces années perdues était qu'il ne craignait plus la loi ni les gens de loi. Et quelque chose d'analogue se produit plus généralement, non? Plus on apprend, moins on craint. «Apprend» non dans le sens scolaire du terme, mais dans le sens d'une compréhension pratique de l'existence.

Peut-être que tout ce que je veux dire en fait, c'est que, étant sorti avec Veronica autrefois, je n'avais plus peur d'elle. Et donc j'ai commencé ma campagne de harcèlement par mails. J'étais résolu à être poli, insensible aux affronts, persistant, ennuyeux, amical : autrement dit, à mentir. Bien sûr, il ne faut qu'une fraction de seconde pour effacer un mail, mais il ne faut guère plus de temps pour remplacer le mail effacé. Je viendrais à bout de sa résistance à force d'amabilité, et j'obtiendrais le journal d'Adrian. Il n'y avait pas de «feu non éteint dans ma poitrine» — je l'avais assuré à Margaret; et quant à ses conseils plus généraux, disons que l'un des avantages d'être un ex-mari est qu'on n'a plus besoin de justifier son comportement. Ni de suivre des suggestions.

Je voyais bien que Veronica était intriguée par mon attitude. Parfois elle répondait brièvement et avec humeur, souvent pas du tout. Elle n'aurait pas été flattée de connaître le précédent de ma stratégie. Vers la fin de mon mariage, le robuste pavillon de banlieue où Margaret et moi vivions a subi un léger délabrement. Des fissures sont apparues çà et là, des parties du porche et de la façade ont commencé à s'effriter. (Et non, je n'y pense pas comme à quelque chose de symbolique.) La compagnie d'assurances n'a pas voulu tenir compte du fait que ç'avait été un été exceptionnellement sec, et a décidé d'incriminer le tilleul qui se trouvait dans notre petit jardin de devant. Ce n'était pas un arbre particulièrement beau, et je ne l'aimais pas trop, pour plusieurs raisons : il assombrissait la salle de séjour, des trucs gluants en tombaient, et ses branches surplombaient la rue d'une façon qui encourageait les pigeons à s'y percher et à fienter sur les voitures garées dessous. La nôtre, en particulier.

Mon refus de l'abattre était fondé sur une objection de principe : non le principe de préserver le stock d'arbres du pays, mais celui de ne pas courber l'échine devant des bureaucrates invisibles, des experts botanistes au visage poupin, et des théories fantasques de responsabilité invoquées par les compagnies d'assurances. En outre, Margaret aimait bien cet arbre. Alors je me suis lancé dans une longue campagne défensive : j'ai contesté les conclusions de l'expert et demandé que d'autres puits d'inspection soient creusés pour confirmer ou non la présence de racines près des fondations de la maison ; j'ai argumenté à propos de météorologie, de la grande ceinture d'argile londonienne, de l'interdiction temporaire d'arroser dans toute la région, et ainsi de suite. J'étais rigidement courtois ; j'imitais le langage bureaucratique de mes adversaires ; je joignais à chaque nouvelle lettre, d'une manière irritante, des copies de précédents courriers ; je les invitais à inspecter de nouveau le site et je suggérais quelque recours supplémentaire à leur personnel. Dans chaque lettre, je m'arrangeais pour poser une autre question qu'il leur faudrait passer du temps à examiner ; s'ils n'y répondaient pas, ma lettre suivante, au lieu de répéter la question, les renvoyait à tel ou tel paragraphe de mon courrier du 17 courant, de sorte qu'ils seraient contraints de consulter leur dossier de plus en plus épais. Je prenais soin de ne pas faire l'effet d'un barjo, mais plutôt d'un raseur tatillon qu'on ne peut feindre d'ignorer. J'aimais imaginer les gémissements lorsqu'une autre de mes lettres arrivait ; et je savais qu'à un certain moment il serait financièrement plus logique pour eux de classer l'affaire. Finalement, exaspérés, ils ont proposé une réduction de trente pour cent du feuillage du tilleul, une solution que j'ai acceptée avec des expressions de profond regret pour tout le dérangement causé — et une grande jubilation.

Veronica, comme je l'avais prévu, n'a pas aimé être traitée comme une compagnie d'assurances. Je vous épargne l'ennui de nos échanges, et j'en viens directement à sa première conséquence pratique : j'ai reçu une lettre de Mrs Marriott, avec ce qu'elle décrivait comme « un fragment du document en litige ». Elle exprimait l'espoir que les mois suivants mèneraient à une restitution complète du legs. J'ai pensé que c'était se montrer vraiment très optimiste.

Le « fragment » s'est révélé être une photocopie d'un fragment. Mais — même après quarante ans — j'ai su qu'il était authentique. L'écriture penchée d'Adrian était particulière, avec d'excentriques « g ». Il va sans dire que Veronica n'avait pas envoyé la première page, ni la dernière, ni indiqué où celle-là se trouvait dans le journal. Si « journal » était encore le bon terme pour un texte qui se présentait sous la forme de paragraphes numérotés. Voici ce que j'ai lu :

5.4 La question de l'accumulation. Si la vie est un pari, quelle forme prend ce pari ? Sur le champ de courses, le *pari cumulatif* est celui dont les gains sont reportés sur la course suivante.

5.5 Alors a) Dans quelle mesure les relations humaines peuvent-elles être exprimées par une formule mathématique ou logique ? Et b) Si c'est possible, quels signes peuvent être placés entre les variables ? *Plus* et *moins*, évidemment ; parfois, multiplication et, oui, division. Mais ces signes sont limités. Ainsi une relation qui échoue complètement pourrait être exprimée en termes de soustraction et de réduction/division, montrant un total de zéro, tandis qu'une relation entièrement satisfaisante pourrait être représentée par l'addition et la multiplication. Mais *quid* de la plupart des relations? Ne devraient-elles pas être exprimées par des formules logiquement improbables et mathématiquement insolubles?

5.6 Ainsi comment pourrait-on exprimer une accumulation contenant les variables b, a^1, a^2, s, v?

$$b = s - v \stackrel{\times}{\div} a^1$$
ou $a^2 + v + a^1 \times s = b$?

5.7 Ou n'est-ce pas la bonne façon de poser la question et d'exprimer l'accumulation? L'application de la logique à la condition humaine va-t-elle foncièrement à l'encontre du but recherché? Qu'advient-il d'une chaîne d'argumentation quand les chaînons sont faits de métaux différents, ayant chacun un seuil de rupture différent?

5.8 Ou «chaînon» est-il une fausse métaphore?

5.9 Mais en admettant que non, si un chaînon casse, à quoi attribuer la responsabilité de cette rupture? Aux deux chaînons voisins, ou à toute la chaîne? Mais qu'entendons-nous par «toute la chaîne»? Jusqu'où s'étend la responsabilité?

6.0 Ou l'on pourrait essayer de définir plus précisément la responsabilité et de l'attribuer plus exactement. Et cela sans recourir aux équations et aux variables, mais en exprimant

les choses selon les codes narratifs traditionnels.
Ainsi, par exemple, si Tony

Et là s'arrêtait la photocopie — cette version d'un fragment. «Ainsi, par exemple, si Tony» : fin de la ligne, bas de la page. Si je n'avais pas tout de suite reconnu l'écriture d'Adrian, j'aurais pu croire que cette «coupure au bord du vide» était due à quelque habile falsification concoctée par Veronica.

Mais je ne voulais pas penser à elle — pas tant que je pouvais éviter de le faire. J'ai essayé de me concentrer sur Adrian et sur ce qu'il avait écrit. Je ne sais comment mieux dire, mais en regardant cette page photocopiée, je n'avais pas l'impression d'examiner quelque document historique — qui, d'ailleurs, aurait nécessité une exégèse considérable. Non, j'avais l'impression qu'Adrian était présent dans la même pièce à côté de moi, respirant, réfléchissant.

Et comme il restait admirable… J'ai parfois tenté d'imaginer le désespoir qui mène au suicide, cette nuit de l'âme dans laquelle seule la mort apparaît comme un point de lumière : autrement dit, le contraire de la condition normale de l'existence. Mais dans ce texte — dont je présumais, au vu de cette unique page, qu'il reflétait la démarche rationnelle d'Adrian vers son propre suicide —, l'auteur semblait utiliser la lueur de la raison pour tenter de parvenir à une plus grande lumière. Est-ce vraisemblable ?

Je suis sûr que des psychologues ont élaboré quelque part un graphique de l'intelligence en fonction de l'âge. Pas un graphique de la sagesse, du pragmatisme, du sens de l'organisation, de l'habileté tactique — ces choses qui, avec le temps, brouillent notre compréhension du sujet —, mais un graphique de l'intelligence pure. Et je soupçonne qu'il montre que, pour la plupart d'entre nous, la courbe culmine entre seize et vingt-cinq ans. Cette page d'Adrian m'a rappelé comment il était à cet âge-là. Lorsque nous parlions et discutions, c'était comme si mettre des pensées en ordre était exactement ce pour quoi il était fait, comme si se servir de son cerveau était aussi naturel pour lui que, pour un athlète, se servir de ses muscles. Et, de même que les athlètes réagissent souvent à une victoire avec un curieux mélange de fierté, d'incrédulité et de modestie — *J'ai* fait cela, mais comment l'ai-je fait? par mes propres moyens? grâce aux autres? ou avec l'aide de Dieu? —, Adrian vous entraînait dans le voyage de sa réflexion comme s'il était lui-même surpris de l'aisance avec laquelle il voyageait. Il était entré dans quelque état de grâce — mais qui n'excluait pas les autres. Il vous donnait l'impression de penser avec lui, même si vous ne disiez rien. Et c'était très étrange pour moi d'éprouver de nouveau cela, cette camaraderie avec un garçon disparu mais d'une intelligence encore supérieure, en dépit de toutes mes décennies de vie supplémentaires.

Pas seulement intelligence pure, mais aussi appliquée. Je me prenais à comparer ma vie avec la sienne. L'aptitude à se voir et à s'examiner lui-même ; l'aptitude à prendre des décisions morales et à agir en conséquence ; le courage mental et physique de son suicide. « Il s'est ôté la vie », dit-on parfois ; mais Adrian avait aussi pris le contrôle de sa propre vie, il l'avait prise en main — jusqu'au bout. Combien d'entre nous — ceux qui restent — peuvent dire qu'ils en ont fait autant ? Nous avançons tant bien que mal, nous laissons la vie s'imposer à nous et nous nous constituons peu à peu une réserve de souvenirs. Il y a la question de l'accumulation, mais pas dans le sens où l'entendait Adrian — juste les simples additions de l'existence. Et comme l'a fait remarquer le poète, il y a une différence entre addition et accroissement.

Ma vie s'était-elle accrue, ou seulement accumulée ? C'est la question que le fragment d'Adrian suscitait en moi. Il y avait eu des additions — et des soustractions — dans ma vie, mais combien d'accroissement, de multiplication ? Et cela me donnait un sentiment de malaise, de trouble.

« Ainsi, par exemple, si Tony... » Ces mots avaient une signification locale, spécifique, circonscrite au contexte d'il y a quarante ans ; et je découvrirais peut-être à un moment ou un autre qu'ils contenaient, ou menaient à, un reproche, une critique de mon vieil ami, aussi lucide sur autrui que sur lui-même. Mais, pour le moment, je les percevais comme renvoyant à quelque chose de bien plus large — à toute ma vie. «Ainsi, par exemple, si Tony...» Et, dans cette optique, ces mots se suffisaient presque à eux-mêmes et n'avaient pas besoin d'être complétés. Oui, en effet, si Tony avait vu plus clairement, agi plus résolument, adhéré à des valeurs morales plus authentiques, ou opté moins facilement pour une placidité passive qu'il avait d'abord appelée bonheur et, plus tard, contentement; si Tony avait été moins timoré, n'avait pas compté sur l'approbation des autres pour sa propre estime de soi... et ainsi de suite, à travers une succession de *si*, jusqu'au dernier : ainsi, par exemple, si Tony n'avait pas été Tony.

Mais Tony était et est Tony, un homme qui trouvait du réconfort dans sa propre obstination. Lettres aux compagnies d'assurances, mails à Veronica. Si tu es décidée à m'emmerder, alors je vais t'emmerder aussi. Je continuais à lui envoyer des mails tous les deux ou trois jours et, maintenant, sur divers tons : exhortations blagueuses du genre «Fais ce qu'il faut, ma fille!», questions au sujet de la phrase coupée d'Adrian ou bien, à moitié sincères, sur sa propre vie. Je voulais qu'elle ait l'impression que je pouvais être là chaque fois qu'elle consultait sa messagerie; et je voulais qu'elle sache que, même si elle effaçait aussitôt mes messages, je me doutais que c'était ce qu'elle faisait, et n'en étais pas surpris, et moins encore blessé. Et qu'elle sache que j'étais bien là à attendre. « *Taï-aï-aï-aïme is on my side* » — oui, le temps jouait en ma faveur. Je n'avais pas le sentiment de la tourmenter ; je voulais seulement ce qui m'appartenait. Et puis, un matin, j'ai obtenu un résultat.

« Je vais en ville demain, je serai à 15 heures au milieu du Wobbly Bridge. »

Je ne m'étais pas attendu à ça. Je croyais que tout se ferait à bonne distance, ses méthodes étant le recours aux avocats et le silence. Peut-être avait-elle changé d'avis. Ou peut-être avais-je fini par lui taper sur les nerfs... C'est ce que j'avais essayé de faire, après tout.

Le « Pont branlant » est la nouvelle passerelle sur la Tamise, qui relie la Tate Modern à la cathédrale Saint-Paul. Au début, elle bougeait un peu — à cause du vent ou de la masse de gens qui marchaient dessus, ou les deux — et les commentateurs britanniques se sont dûment gaussés des architectes et des ingénieurs qui ne savaient pas ce qu'ils faisaient. Je la trouvais belle. J'aimais bien aussi cette façon qu'elle avait d'osciller un peu sous vos pieds. Il me semblait qu'on devrait parfois se voir ainsi rappeler l'instabilité de toute chose. Puis ils l'ont consolidée et elle a cessé de bouger, mais le nom est resté — du moins jusqu'à présent. Je me demandais pourquoi Veronica avait choisi cet endroit. Et aussi si elle me ferait attendre, et de quel côté elle arriverait.

Mais elle était déjà là. Je l'ai reconnue de loin, sa petite taille et sa silhouette étant tout de suite familières. Étrange comme l'image d'une posture reste gravée en soi... Et dans son cas — comment dire? Peut-on se tenir ainsi «avec impatience»? Je ne veux pas dire qu'elle sautillait d'un pied sur l'autre, mais une tension manifeste suggérait qu'elle n'avait pas envie d'être là.

J'ai jeté un coup d'œil à ma montre. J'étais juste à l'heure. On s'est regardés.

«Tu as perdu tes cheveux, a-t-elle dit.

— Ça arrive. Au moins ça montre que je ne suis pas un alcoolique...

— Je n'ai pas dit ça. On va s'asseoir sur un de ces bancs.»

Elle s'est dirigée vers eux sans attendre une réponse. Elle marchait vite, et il aurait fallu que je trotte un peu pour la rattraper. Je ne voulais pas lui faire ce plaisir, alors je l'ai suivie à quelques pas de distance vers un banc vide où on s'est assis face à la Tamise. Je ne pouvais distinguer dans quel sens allait le courant, un vent de travers fouettant la surface de l'eau. Le ciel était gris. Il y avait peu de touristes; un rolleur est passé bruyamment derrière nous.

«Pourquoi les gens pensent-ils que tu es un alcoolique?

— Ils ne le pensent pas.

— Alors pourquoi avoir parlé de ça?

— Je n'ai pas "parlé de ça". Tu as dit que j'avais perdu mes cheveux. Et c'est un fait que si on est un gros buveur, quelque chose dans l'alcool empêche les cheveux de tomber.

— C'est vrai?

— Eh bien, peux-tu trouver un alcoolique chauve parmi les gens que tu connais?

— J'ai mieux à faire de mon temps.»

J'ai tourné un instant les yeux vers elle et pensé : tu n'as pas changé, mais moi si. Et pourtant, curieusement, ces petites tactiques verbales me rendaient presque nostalgique. Presque. En même temps, je pensais : tu as l'air un peu hirsute. Elle portait une jupe en tweed utilitaire, et un imper bleu assez miteux. Ses cheveux, même en tenant compte de la forte brise sur le fleuve, semblaient mal peignés; ils étaient de la même longueur qu'autrefois, mais très grisonnants; ou plutôt, c'était un gris mêlé de châtain originel. Margaret avait coutume de dire que les femmes commettent souvent l'erreur de conserver le style capillaire qu'elles avaient adopté à l'apogée de leur séduction; elles s'y tiennent bien après que c'est devenu inapproprié, parce qu'elles ont peur de les couper. Cela semblait assurément être le cas de Veronica. Ou peut-être s'en fichait-elle.

«Alors? a-t-elle dit.

— Alors? ai-je répété.

— Tu as demandé à me voir.

— Vraiment?

— Tu veux dire que tu ne l'as pas fait?

132

— Si tu dis que je l'ai fait, j'ai dû le faire.

— Eh bien, est-ce oui ou non?» a-t-elle demandé en se levant et en se tenant plantée là, oui, avec impatience.

Je n'ai délibérément pas réagi. Je n'ai pas suggéré qu'elle se rassoie, et je ne me suis pas levé moi-même. Elle pouvait partir si elle voulait — et comme, visiblement, elle le voulait, il était inutile d'essayer de la retenir. Elle regardait le fleuve. Elle avait trois grains de beauté sur le côté de son cou — m'en souvenais-je ou non? Un long poil ornait maintenant chacun d'eux, et la lumière s'y accrochait.

Très bien, alors, pas de menus propos, pas de passé, pas de nostalgie. Au fait.

«Est-ce que tu vas me remettre le journal d'Adrian?

— Je ne peux pas, a-t-elle répondu sans me regarder.

— Pourquoi?

— Je l'ai brûlé.»

D'abord un vol, puis une destruction criminelle, ai-je pensé, avec une bouffée de colère. Mais je me suis dit de continuer à la traiter comme une compagnie d'assurances. Alors, sur un ton aussi neutre que possible, j'ai seulement demandé :

«Pour quelle raison?»

La joue que je voyais a légèrement tressailli, mais je n'aurais pu dire si c'était un sourire ou une grimace.

«Les gens ne devraient pas lire les journaux des autres.

—Ta mère a dû le lire… Et toi aussi, pour pouvoir décider quelle page m'envoyer.» Pas de réponse. Essayer une autre tactique. «À propos, comment cette phrase continuait-elle? Tu sais : "Ainsi, par exemple, si Tony…"?»

Un haussement d'épaules et un froncement de sourcils. «Les gens ne devraient pas lire les journaux des autres, a-t-elle répété. Mais tu peux lire ça si tu veux.»

Elle a sorti une enveloppe de la poche de son imper, me l'a tendue, a tourné les talons et s'en est allée.

De retour chez moi, j'ai relu mes messages envoyés et, bien sûr, je n'avais jamais demandé une rencontre. Pas d'une façon aussi explicite, en tout cas.

Je me suis souvenu de ma réaction initiale en voyant les mots «Prix du sang» sur mon écran. Je m'étais dit : Mais personne n'en est mort. Je n'avais pensé qu'à Veronica et moi. Je n'avais pas pensé à Adrian.

Une autre chose dont je me rendais compte : il y avait une erreur, ou une anomalie statistique, dans la théorie de Margaret sur l'opposition entre les femmes mystérieuses et les autres; ou plutôt, dans la seconde partie de cette théorie, selon laquelle les hommes sont attirés soit par les unes, soit par les autres. J'avais été attiré par Veronica *et* par Margaret.

Je me souviens d'une période, vers la fin de l'adolescence, où mon esprit s'enivrait de rêves d'aventure. Voilà comment ce sera quand je serai adulte. J'irai là, ferai ceci, découvrirai cela, l'aimerai, elle et puis elle et elle et elle. Je vivrai comme vivent et ont vécu les gens dans les romans. Lesquels, je ne savais pas trop, je savais seulement que la passion et le danger, l'extase et le désespoir (mais suivi de plus d'extase encore) seraient bien présents. Cependant... qui a dit cette phrase au sujet des «petitesses que l'art exagère»? Il y a eu un moment, vers la trentaine, où j'ai reconnu que mon esprit d'aventure s'était depuis longtemps tari. Je ne ferais jamais ces choses dont l'adolescence avait rêvé. Au lieu de cela, je tondais ma pelouse, je prenais des vacances, je vivais ma vie.

Mais le temps... comme le temps nous soutient d'abord, puis a raison de nous... On croyait faire preuve de maturité, quand on était seulement en sécurité. On croyait être responsable, mais n'était que lâche. Ce qu'on appelait réalisme s'est révélé être une façon d'éviter les choses plutôt que de les affronter. Le temps... donnez-nous assez de temps et nos décisions les mieux étayées paraîtront bancales, nos certitudes fantaisistes.

Je n'ai pas ouvert l'envcloppe que Veronica m'avait donnée avant le lendemain soir. J'ai attendu parce que je savais qu'elle pensait que je n'attendrais même pas qu'elle ait disparu au bout du pont pour l'ouvrir. Mais je savais aussi qu'il était peu probable que cette enveloppe contienne ce que je voulais : par exemple, la clef d'un casier de consigne à bagages où je trouverais le journal d'Adrian. En même temps, je n'étais pas convaincu par son trop vertueux «les gens ne devraient pas lire les journaux des autres» ; je la croyais tout à fait capable de l'avoir brûlé pour me punir de certains torts anciens, mais non en raison de quelque principe hâtivement érigé de comportement correct.

J'étais intrigué qu'elle ait suggéré ce rendez-vous. Pourquoi ne pas avoir utilisé le service postal et évité ainsi une rencontre qu'elle trouvait manifestement fort déplaisante ? Pourquoi ce face-à-face ? Parce qu'elle était curieuse de me revoir après toutes ces années, même si ça la faisait frémir ? J'en doutais. J'ai repensé à la dizaine de minutes qu'on avait passée ensemble — l'endroit, le changement de lieu, son impatience de quitter l'un et l'autre, ce qui avait été dit et ce qui ne l'avait pas été… Finalement, une théorie a émergé : si elle n'avait pas besoin de cette rencontre pour ce qu'elle avait fait — me remettre l'enveloppe —, alors elle en avait besoin pour ce qu'elle avait dit. À savoir, qu'elle avait brûlé le journal d'Adrian. Et pourquoi lui fallait-il formuler cela oralement près de la grise Tamise ? Parce qu'elle pourrait nier l'avoir fait. Elle ne voulait pas la confirmation écrite d'un mail imprimé. Si elle pouvait affirmer faussement que c'était moi qui avais demandé une rencontre, il ne lui serait pas très difficile de nier qu'elle avait jamais avoué cette destruction par le feu.

Étant arrivé à cette explication provisoire, j'ai attendu jusqu'au soir, j'ai dîné, je me suis versé un autre verre de vin et je me suis installé dans mon fauteuil avec l'enveloppe. Il n'y avait pas mon nom dessus : peut-être pour pouvoir nier cela aussi? «Bien sûr que je ne lui ai pas donné ça. Je ne l'ai même pas rencontré. Ce n'est qu'un harceleur, un mythomane, un cybercriminel chauve.»

Des traces allant du gris au noir le long des bords du premier feuillet : une autre photocopie. Qu'est-ce que c'était que cette manie chez elle? Elle avait une dent contre les documents authentiques? Puis j'ai remarqué la date en haut, et l'écriture : la mienne, telle qu'elle était autrefois. «Cher Adrian…» J'ai lu la lettre, je me suis levé, j'ai pris mon verre de vin, j'en ai reversé — pas très proprement — le contenu dans la bouteille, et je me suis préparé un mégawhisky.

Combien de fois racontons-nous notre propre histoire? Combien de fois ajustons-nous, embellissons-nous, coupons-nous en douce ici ou là? Et plus on avance en âge, plus rares sont ceux qui peuvent contester notre version, nous rappeler que cette vie n'est pas notre vie, mais seulement l'histoire que nous avons racontée au sujet de notre vie. Racontée aux autres, mais — surtout — à nous-même.

Cher Adrian — ou plutôt, chers Adrian et Veronica (salut, Garce, et bienvenue dans cette lettre),

Eh bien vous vous méritez certainement l'un l'autre et je vous souhaite bien du bonheur. J'espère que vous deviendrez si intimes que les dégâts mutuels seront permanents. J'espère que vous regretterez le jour où je vous ai présentés. Et j'espère que lorsque vous romprez, comme vous le ferez inévitablement — je vous donne six mois, que votre amour-propre commun étendra à une année, pour mieux vous bousiller, dirais-je —, il ne vous restera qu'une amertume incurable qui empoisonnera vos relations ultérieures avec d'autres. Une partie de moi-même espère que vous aurez un enfant, parce que je crois fermement à la vengeance du temps, oui jusqu'à la génération suivante et la suivante... Voir Grand Art. Mais la vengeance doit s'abattre sur ceux qui le méritent, c'est-à-dire vous deux (et vous n'évoquez pas le grand art, juste un croquis de caricaturiste). Alors je ne vous souhaite pas ça. Il serait injuste d'infliger à quelque fœtus innocent la perspective de découvrir qu'il était le fruit de vos entrailles, si vous voulez bien excuser le cliché poétique... Alors continue d'enfiler la Durex sur son zob grêle, Veronica. À moins que tu ne l'aies pas encore laissé aller jusque-là ?

Mais assez d'amabilités. J'ai seulement quelques choses précises à dire à chacun de vous.

Adrian : tu sais déjà que c'est une allumeuse,

bien sûr — quoique j'imagine que tu t'es dit qu'elle était engagée dans une Lutte contre ses Principes, un obstacle que, en tant que philosophe et à l'aide de tes cellules grises, tu l'aiderais à surmonter. Si elle ne t'a pas encore laissé Aller Jusqu'au Bout, je suggère que tu rompes avec elle, et elle sera bientôt chez toi avec une culotte humide et un paquet de trois, toute prête à t'accorder ses dernières faveurs. Mais «allumeuse» est aussi une métaphore : c'est quelqu'un qui manipulera ton âme tout en dissimulant la sienne. Je laisse aux psys un diagnostic précis — qui pourrait varier selon le jour de la semaine — et note seulement son inaptitude à imaginer les sentiments et la vie émotionnelle des autres. Même sa propre mère m'a mis en garde contre elle. À ta place, j'en discuterais avec Maman — demande-lui s'il n'y a pas eu quelque ancien traumatisme. Bien sûr, il faudra le faire à l'insu de Veronica, parce que, bon sang, si quelqu'un veut toujours tout régenter, c'est bien elle. Oh, et c'est aussi une fille snob, comme tu as dû t'en apercevoir, qui ne s'est mise avec toi que parce que ton nom allait bientôt être suivi de «BA Cantab[1]». Tu te rappelles comme tu méprisais frère Jack et ses amis chicos? C'est avec ces gens-là que tu veux frayer maintenant? Mais n'oublie pas : donne-lui un peu de temps, et elle te regardera de haut comme elle me regarde de haut.

Veronica : intéressant, cette lettre commune. Ta malveillance mêlée à son pharisaïsme. Un vrai mariage de talents. Comme ton sentiment

1. Licencié ès lettres de Cambridge.

de supériorité sociale mêlé à son sentiment de supériorité intellectuelle. Mais n'espère pas pouvoir lui damer le pion comme tu m'as (un moment) damé le pion. Je vois d'ici ta tactique — l'isoler, le couper de ses vieux amis, le rendre dépendant de toi, etc. Cela pourrait marcher à court terme. Mais à long terme ? C'est juste une question de savoir si tu peux tomber enceinte avant qu'il ne découvre quelle raseuse tu es. Et si jamais tu réussis à le piéger, tu peux t'attendre à une vie entière de joyeusetés du genre : remarques corrigeant ta logique, pinaillage pédant à la table du petit déjeuner et bâillements étouffés devant tes minauderies. Je ne peux rien te faire maintenant, mais le temps le peut. Le temps agira. Il agit toujours.

Compliments de saison à vous deux, et que la pluie acide tombe sur vos têtes jointes et bénies.

Tony

Je trouve que le whisky aide à penser plus clairement. Et réduit la souffrance. Il a bien sûr la vertu supplémentaire de vous rendre pompette, ou, absorbé en quantité suffisante, très saoul. J'ai relu plusieurs fois cette lettre. Je ne pouvais guère nier l'avoir écrite, ou nier sa laideur. Tout ce que je pouvais alléguer pour ma défense, c'est que je n'étais plus celui qui en avait été l'auteur à l'époque. De fait, je ne reconnaissais pas cette partie de moi-même qui avait jadis écrit cela. Mais peut-être n'était-ce encore là que se leurrer soi-même.

D'abord j'ai surtout pensé à moi, et au genre d'individu que j'avais été alors : rancunier, jaloux et malveillant. J'ai pensé à mes efforts pour saper leur relation. Au moins j'avais échoué en cela, puisque la mère de Veronica m'avait assuré que les derniers mois de la vie d'Adrian avaient été heureux. Mais ça ne me tirait pas d'affaire. Mon plus jeune *moi* était revenu choquer mon *moi* plus âgé avec ce que ce *moi* avait été, ou était, ou était parfois capable d'être. Et n'avais-je pas songé tout récemment à la façon dont les témoins de notre vie se raréfient et, avec eux, notre principale corroboration ? Maintenant j'avais une bien indésirable corroboration de ce que j'étais, ou avais été. Si seulement c'était cette lettre que Veronica avait brûlée...

Ensuite j'ai pensé à elle. Non à ce qu'elle avait pu éprouver à la première lecture de cette lettre — j'y reviendrais —, mais à la raison pour laquelle elle me l'avait remise. Bien sûr, elle voulait me montrer quel salopard j'étais... Mais c'était plus que ça, ai-je décidé : vu l'impasse où nous étions, c'était aussi une manœuvre tactique, un avertissement. Si j'essayais de faire des embarras juridiques au sujet du journal d'Adrian, cela ferait partie de sa défense. Je serais mon propre témoin de moralité.

Puis j'ai pensé à Adrian. Mon vieil ami qui s'était tué — et, dans cette dernière lettre qu'il avait reçue de moi, je m'en étais pris à lui et j'avais tenté de détruire le premier et dernier amour de sa vie. Et quand j'avais écrit «le temps agira», j'avais sous-estimé, ou plutôt mal calculé la chose : le temps n'agissait pas contre eux, mais contre moi.

Et, finalement, je me suis souvenu de la carte postale que j'avais envoyée à Adrian en guise de réponse provisoire à sa lettre. Celle, faussement désinvolte, comme quoi tout ça «me convenait à merveille, vieille branche». Avec la photo du pont suspendu de Clifton. D'où un certain nombre de gens se jetaient chaque année dans le vide.

Le lendemain, désenivré, j'ai repensé à nous trois, et aux nombreux paradoxes du temps. Par exemple : c'est quand on est jeune et sensible qu'on est aussi le plus cruel ; alors que, quand le sang ralentit, qu'on ressent moins vivement les choses, qu'on est plus cuirassé et qu'on a appris à supporter ce qui blesse, on réagit plus modérément. Maintenant j'essaierais peut-être de blesser Veronica, mais je n'essaierais jamais de l'écorcher par petits lambeaux sanglants.

Il n'était pas, rétrospectivement, cruel de leur part de m'informer qu'ils ne faisaient plus qu'un... C'était juste le moment choisi pour ça, et le fait que Veronica semblait en être l'instigatrice. Pourquoi donc avais-je réagi aussi violemment ? Amour-propre blessé, stress avant les examens, isolement ? Mauvaises excuses que tout cela. Et non, ce n'était pas de la honte que je ressentais maintenant, ni de la culpabilité, mais quelque chose de plus rare dans ma vie et de plus fort que l'une et l'autre : du remords. Un sentiment plus compliqué, figé et primitif, et dont la principale caractéristique est qu'on ne peut rien y faire : trop de temps a passé, trop de dégâts ont été infligés, pour pouvoir faire amende honorable. Malgré tout, quarante ans après, j'ai envoyé un mail d'excuses à Veronica pour ma lettre.

Puis j'ai pensé davantage à Adrian. Il avait toujours vu plus clairement que nous. Pendant que nous nous abandonnions avec délice au marasme de l'adolescence, en nous figurant que notre insatisfaction chronique était une réaction originale à la condition humaine, Adrian regardait déjà plus loin devant et alentour. Il ressentait la vie plus clairement aussi — même, et peut-être surtout, lorsqu'il en est venu à décider qu'elle n'en valait pas la chandelle. Comparé à lui, j'avais toujours été un esprit brouillon, incapable d'apprendre grand-chose des quelques leçons que me donnait la vie. Selon mes propres critères, je me contentais des réalités de l'existence, et me soumettais à ses exigences : ceci impliquait cela, et ainsi les années passaient. Selon les critères d'Adrian, je renonçais à la vie, renonçais à l'examiner, la prenais comme elle venait... Et donc, pour la première fois, j'ai commencé à éprouver un remords plus général — un sentiment quelque part entre l'apitoiement sur soi et la haine de soi — en songeant à ma vie, ma vie entière. J'avais perdu les amis de ma jeunesse. J'avais perdu l'amour de ma femme. J'avais abandonné les ambitions que j'avais pu avoir. J'avais voulu que la vie ne m'embête pas trop, et obtenu ce que je voulais — et comme c'était pitoyable.

Moyen, voilà ce que j'avais été, depuis la fin du lycée. Moyen à l'université et au travail ; moyen en amitié, loyauté, amour ; moyen, sans doute, pour ce qui est du sexe. Il y a quelques années, un sondage a révélé que quatre-vingt-quinze pour cent des automobilistes britanniques interrogés pensaient qu'ils étaient des conducteurs « meilleurs que la moyenne ». Mais la loi des moyennes implique que la plupart d'entre nous sont voués à être moyens. Ce qui n'apportait certes aucun réconfort ; le mot se répétait en écho : moyen dans la vie ; moyen face à la vérité ; moralement moyen. La première réaction de Veronica en me revoyant avait été de remarquer que j'avais perdu mes cheveux. C'était bien le moindre mal.

Le mail qu'elle a envoyé en réponse à mes excuses disait : « Tu ne piges pas, hein ? Mais tu n'as jamais pigé. » Je ne pouvais guère me plaindre. Même si je me surprenais à regretter pitoyablement qu'elle n'ait pas employé mon prénom dans une de ses deux phrases.

Je me demandais comment il se faisait que Veronica était en possession de ma lettre. Adrian lui avait-il laissé toutes ses affaires dans son testament ? Je ne savais même pas s'il en avait rédigé un. Peut-être avait-il gardé cette lettre dans son journal, et elle l'y avait trouvée. Non, je ne pensais pas clairement. Si c'était là qu'elle avait été, Mrs Ford l'aurait vue — et elle ne m'aurait certainement pas légué cinq cents livres.

Je me demandais pourquoi Veronica s'était donné la peine de répondre à mon mail, étant donné qu'elle affectait de me mépriser complètement. Bah, ce n'était peut-être pas le cas.

Je me demandais si elle avait puni frère Jack pour la bévue de m'avoir communiqué son adresse électronique.

Je me demandais si ses paroles d'autrefois, «Ça ne semble pas correct», n'avaient pas été qu'une façon polie de dire non. Peut-être n'avait-elle pas voulu coucher avec moi parce que le contact sexuel qu'on avait à l'époque, pendant qu'elle prenait sa décision, n'était tout simplement pas assez agréable. Je me demandais si j'avais été maladroit, trop insistant, égoïste. Pas «si», dans quelle mesure.

Margaret a écouté en mangeant sa quiche et sa salade, puis la *panna cotta* au coulis de framboise, pendant que je lui parlais de mon contact avec Jack, de la page du journal d'Adrian, de la rencontre sur le pont, du contenu de ma lettre et de mes sentiments de remords. Elle a posé sa tasse de café — *clic* — sur sa soucoupe.

«Tu n'es pas encore amoureux de la Toquée.

— Non, je ne crois pas.

— Tony, ce n'était pas une question. C'était une affirmation.»

145

Je l'ai regardée affectueusement. Elle me connaissait mieux que n'importe qui d'autre au monde. Et voulait encore bien déjeuner avec moi. Et me laissait pérorer sur moi et mes problèmes. Je lui ai souri, d'une façon qu'elle ne connaissait sûrement aussi que trop bien.

« Un de ces jours je vais te surprendre, ai-je dit.

— Tu me surprends encore. Tu l'as fait aujourd'hui.

— Oui, mais je veux te surprendre d'une façon qui te donne une meilleure opinion de moi, plutôt que l'inverse.

— Je n'ai pas une si mauvaise opinion de toi… Je n'ai même pas une si mauvaise opinion de la Toquée, même si j'avoue que mon estimation d'elle n'a jamais été très flatteuse. »

Margaret s'abstient toujours de tout triomphalisme ; elle savait aussi qu'elle n'avait pas besoin de me faire remarquer que je n'avais pas suivi son conseil. Je pense qu'elle aime bien être une oreille compréhensive, et aime bien aussi se voir rappeler pourquoi elle est contente de ne plus être mariée avec moi. Je ne dis pas ça dans le sens d'une malice de sa part. Je pense simplement que c'est le cas.

« Je peux te demander quelque chose ?

— Tu le peux toujours, a-t-elle répondu.

— Est-ce que tu m'as quitté à cause de moi ?

— Non, a-t-elle dit. Je t'ai quitté à cause de nous. »

Susie et moi nous entendons bien, comme j'ai tendance à le répéter, et c'est le genre de déclaration que je ferais volontiers sous serment dans un prétoire. Elle a trente-trois ans, peut-être trente-quatre. Oui, trente-quatre. Il n'y a pas eu le moindre différend entre nous depuis que, assis au premier rang dans une salle de mairie aux lambris de chêne, j'ai joué mon rôle de témoin. Je me souviens d'avoir pensé à ce moment-là que j'en étais quitte avec elle — ou, plus exactement, avec ma tâche parentale. Devoir accompli, unique enfant en sécurité dans le havre temporaire du mariage. Maintenant tout ce que tu as à faire, c'est ne pas choper la maladie d'Alzheimer et te rappeler de lui laisser l'argent que tu as. Et tu pourrais essayer de faire mieux que tes parents en mourant quand cet argent lui sera vraiment utile...

Si Margaret et moi étions restés ensemble, je suppose que j'aurais été autorisé à être davantage un affectueux grand-père. Il n'est pas surprenant que Margaret ait été d'une plus grande utilité à cet égard. Susie ne voulait pas laisser les enfants avec moi parce qu'elle ne me jugeait pas assez compétent, malgré toutes les couches que j'avais changées et ainsi de suite. «Tu pourras emmener Lucas voir des matchs de foot quand il sera plus grand», m'a-t-elle dit une fois. Ah, le grand-papa aux yeux chassieux sur les gradins initiant le p'tit gars aux mystères du football : comment haïr des gens qui portent des maillots d'une autre couleur, comment faire mine d'être blessé, comment souffler sa morve sur le terrain — «Tu vois, fiston, tu appuies fort sur une narine pour la boucher, et tu expulses aussi fort le mucus verdâtre de l'autre.» Comment être vaniteux et trop payé et se retrouver avec ses meilleures années derrière soi avant même d'avoir compris grand-chose à la vie. Oh oui, j'ai vraiment hâte d'emmener Lucas au stade de foot.

Mais Susie ne remarque pas que je n'aime pas ce jeu — ou n'aime pas ce qu'il est devenu. Elle est pragmatique en fait d'émotions, Susie. Elle tient ça de sa mère. Alors mes émotions telles qu'elles sont réellement ne la préoccupent pas. Elle préfère supposer que j'ai certains sentiments, et agir selon ce postulat. Quelque part, elle me reproche le divorce. Comme dans : «Puisque c'était la décision de ma mère, c'était manifestement la faute de mon père.»

Le caractère évolue-t-il avec le temps ? Dans les romans, bien sûr : sinon, il n'y aurait guère d'histoire. Mais dans la vie ? Je me le demande parfois. Nos attitudes et nos opinions changent, nous acquérons de nouvelles habitudes et excentricités ; mais c'est quelque chose de différent, de plus extérieur. Peut-être le caractère est-il comparable à l'intelligence, sauf que le premier achève de se former un peu plus tard : entre vingt et trente ans, disons. Et après ça, on doit se débrouiller avec ce qu'on a. Cela expliquerait pas mal d'existences, non ? Et aussi — si ce n'est pas un trop grand mot — notre tragédie.

« La question de l'accumulation », avait écrit Adrian. Vous misez sur un cheval, il arrive premier, et vos gains sont reportés sur la course suivante, et ainsi de suite. Vos gains s'accumulent. Mais les pertes s'accumulent-elles ? Pas sur le champ de courses : là, on ne perd que sa mise initiale. Mais dans la vie ? Peut-être qu'ici des règles différentes s'appliquent. On parie sur une relation, elle échoue ; on passe à la suivante, elle échoue aussi : et peut-être que ce qu'on perd, ce n'est pas simplement deux mises, mais un multiple de ce qu'on a misé. C'est l'impression que ça fait, en tout cas. La vie n'est pas qu'addition et soustraction. Il y a aussi l'accumulation, la multiplication, de la perte, de l'échec.

La page d'Adrian renvoie aussi à la question de la responsabilité : à celle de savoir s'il y a une chaîne de responsabilité, ou si l'on définit plus étroitement le concept. Je suis tout à fait partisan de le définir plus étroitement. Désolé, non, vous ne pouvez pas rejeter la faute sur vos parents disparus, ou sur le fait d'avoir des frères et des sœurs, ou de ne pas en avoir, ou sur vos gènes, ou la société, ou quoi que ce soit — pas dans des circonstances normales. Commencez par vous dire que vous êtes le seul responsable, dès lors qu'il n'y a pas de preuve flagrante du contraire. Adrian était bien plus intelligent que moi — il recourait à la logique là où j'utilise le bon sens —, mais on en venait, je pense, plus ou moins à la même conclusion.

Non que je puisse comprendre tout ce qu'il a écrit. J'avais beau regarder ces équations dans son journal, je n'en étais pas beaucoup plus éclairé. Mais je n'ai jamais été très doué pour les maths.

Je n'envie pas à Adrian sa mort, mais je lui envie la clarté de sa vie. Pas seulement parce qu'il voyait, pensait, sentait et agissait plus clairement que nous, mais aussi à cause de l'âge où il est mort. Je ne veux pas parler de ces sornettes de la Première Guerre mondiale : «Fauché dans la fleur de l'âge» — un cliché encore débité par notre principal à l'époque de la mort de Robson — et «Ils ne vieilliront pas comme nous qui restons vieillirons». La plupart d'entre nous n'ont pas été fâchés de pouvoir vieillir. C'est toujours mieux que l'autre option selon moi. Non, ce que je veux dire, c'est : quand on a vingt ans ou un peu plus, même si on n'est pas du tout sûr de ses propres intentions et objectifs, on a un sentiment intense de ce qu'est la vie elle-même, et de ce qu'on est dans cette vie, et peut devenir. Plus tard... plus tard il y a plus d'incertitude, plus de chevauchement, plus de retours en arrière, plus de faux souvenirs. À vingt ans, on peut se rappeler sa courte vie dans sa totalité. Plus tard, la mémoire devient quelque chose de bien plus décousu. C'est un peu comme la boîte noire que les avions transportent pour enregistrer ce qui se passe en cas d'accident. Si rien de fâcheux n'arrive, la bande s'efface. De sorte que, si on s'écrase, la raison en est évidente ; sinon, l'historique de son voyage est beaucoup moins clair.

Ou, pour le formuler autrement. Quelqu'un a dit que ses périodes historiques préférées étaient celles où tout s'effondrait, parce que cela signifiait que quelque chose de nouveau naissait. Cela a-t-il un sens si on l'applique à nos existences individuelles ? Mourir au moment où quelque chose de nouveau naît — même si ce quelque chose de nouveau est notre propre *moi* ? Parce que, de même que le changement politique et historique déçoit tôt ou tard, l'âge adulte déçoit aussi. La vie déçoit. Parfois je pense que le but de la vie est de nous réconcilier avec sa perte finale en nous décevant, en prouvant, si longtemps que cela prenne, qu'elle n'est pas tout ce qu'elle est réputée être.

Imaginez quelqu'un, tard le soir, un peu ivre, écrivant une lettre à une ancienne petite amie. Puis il écrit l'adresse sur l'enveloppe, met un timbre, prend son paletot, va jusqu'à la boîte aux lettres la plus proche, y glisse la sienne, rentre chez lui et se couche. Très probablement, en fait, il n'irait pas la poster, n'est-ce pas ? Il attendrait le matin pour ça. Et il est fort possible qu'il y réfléchirait alors à deux fois. Il y a donc beaucoup à dire en faveur du courriel, de sa sponta-

151

néité, son immédiateté, sa vérité de sentiment, et même ses gaffes… Ma réflexion — si ce n'est pas un trop grand mot pour ça — était celle-ci : pourquoi croire Margaret? Elle n'était même pas là autrefois, et elle ne peut qu'avoir des préjugés et partis pris. Alors j'ai envoyé un mail à Veronica. Je l'ai intitulé «Question», et lui ai demandé ceci : «Penses-tu que j'étais amoureux de toi à l'époque?» Je l'ai signé de mon initiale, et j'ai cliqué sur Envoyer avant de pouvoir changer d'avis.

La dernière chose à laquelle je m'attendais, c'était une réponse le lendemain matin. Cette fois elle n'avait pas effacé l'intitulé. Elle avait répondu : «Si tu as besoin de poser la question, alors la réponse est non. V. »

Cela dit peut-être quelque chose sur mon état d'esprit que j'aie trouvé cette réaction normale, voire encourageante.

Cela dit peut-être autre chose que ma propre réaction ait été d'appeler Margaret et de lui parler de ce bref échange. Il y a eu un silence, puis mon ex-épouse a dit doucement : «Tony, c'est ta vie maintenant.»

On peut le dire d'une autre façon, bien sûr; on le peut toujours. Ainsi, par exemple, il y a la question du mépris, et de notre réaction à ça. Frère Jack me fait un clin d'œil condescendant et, quarante ans plus tard, j'utilise le charme que je peux avoir — non, n'exagérons pas : j'utilise une certaine fausse amabilité — pour lui soutirer des renseignements; et puis, aussitôt, je le trahis. Mon mépris contre ton mépris. Même si, comme je le reconnais maintenant, ce qu'il a éprouvé à mon égard à l'époque n'a peut-être été qu'une indifférence amusée. «Voici le nouveau copain de ma sœur — il y en a eu un avant lui, et il y en aura sûrement bientôt un autre; inutile d'examiner de trop près ce spécimen éphémère.» Mais *moi* je l'avais ressenti comme du mépris, l'avais gardé comme tel en mémoire, et avais rendu la monnaie de la pièce.

Et peut-être avec Veronica essayais-je de faire quelque chose de plus : non lui retourner son mépris, mais le surmonter. On peut voir l'attrait de la chose. Car relire cette lettre que j'avais écrite, sentir sa dureté et son agressivité, me faisait l'effet d'un choc profond et intime. Si elle n'avait pas éprouvé de mépris pour moi avant, elle n'avait pu qu'en éprouver après qu'Adrian lui eut montré mes mots. Et n'avait pu que porter ce ressentiment en elle pendant tout ce temps, et l'utiliser pour justifier le fait de garder, et même de détruire, le journal d'Adrian.

Je disais, avec assurance, que la principale caractéristique du remords est qu'on n'y peut rien : que le moment des excuses ou des réparations est passé. Mais si je me trompais? Mais si par quelque moyen le remords pouvait être ramené en arrière et mué en un simple sentiment de culpabilité, ce qui ouvrirait de nouveau la voie aux excuses, puis au pardon? Et si vous pouviez prouver que vous n'étiez pas l'odieux individu pour lequel elle vous prenait, et si elle était disposée à accepter vos preuves ?

Ou peut-être mes motivations venaient-elles d'une direction totalement opposée, et s'agissait-il moins du passé que de l'avenir. Comme la plupart des gens, j'ai des superstitions quand il me faut entreprendre un voyage. On a beau savoir que prendre l'avion est statistiquement plus sûr que de marcher jusqu'à la boutique du coin, avant de partir, on fait des choses comme régler des factures, mettre sa correspondance à jour, téléphoner à quelqu'un de proche.

« Susie, je m'en vais demain.

— Oui, je sais, papa. Tu me l'as dit.

— Vraiment ?

— Oui.

— Eh bien, juste pour dire au revoir…

— Désolée, papa, les enfants faisaient du bruit. Tu disais ?

— Oh, rien, embrasse-les pour moi. »

Vous le faites pour vous-même, bien sûr. Vous voulez laisser ce dernier souvenir, et qu'il soit aussi agréable que possible. Vous voulez qu'on garde une bonne opinion de vous — au cas où votre avion se révélerait être celui qui est moins sûr que de marcher jusqu'à la boutique du coin.

Et si c'est ainsi qu'on se comporte avant une pause hivernale de cinq jours à Majorque, pourquoi n'y aurait-il pas un plus ample processus à l'œuvre vers la fin de la vie, quand cet ultime voyage — ce passage sur le chariot motorisé de l'autre côté du rideau du crématorium — approche? «Ne me jugez pas mal, gardez de moi un bon souvenir, dites aux gens que vous aviez de l'affection pour moi, que vous m'aimiez, que je n'étais pas un mauvais bougre» — même si, peut-être, rien de tout cela n'était vrai.

J'ai ouvert un vieil album de photos et regardé celle qu'elle m'avait demandé de prendre, Trafalgar Square. «Une avec tes amis.» Alex et Colin adoptent une expression «pour-les-archives-historiques» exagérée, Adrian a son air sérieux habituel, tandis que Veronica — comme je ne l'avais encore jamais remarqué — est tournée légèrement vers lui. Sans lever les yeux vers lui, mais sans regarder non plus l'objectif. Autrement dit, sans me regarder. J'avais été jaloux ce jour-là. J'avais voulu la présenter à mes amis, voulu qu'ils lui plaisent, et qu'elle leur plaise, mais bien sûr pas plus que n'importe lequel d'entre eux ne m'aimait. Ce qui était sans doute une attente puérile, autant qu'irréaliste. Alors, en la voyant poser sans cesse des questions à Adrian, je m'étais renfrogné; et quand, plus tard, dans ce bar d'hôtel, Adrian avait débiné frère Jack et ses copains, je m'étais tout de suite senti mieux.

J'ai envisagé brièvement de rechercher Alex et Colin; j'aurais pu leur demander si leurs souvenirs corroboraient les miens. Mais ils ne jouaient pas un rôle central dans l'histoire; je doutais fort que leurs souvenirs seraient meilleurs que les miens. Et si leur corroboration se révélait être le contraire de bénéfique pour moi ? « En fait, Tony, je suppose que ça ne fera aucun mal de dire la vérité après toutes ces années, mais Adrian était toujours très caustique à ton sujet en ton absence. — Ah, très intéressant. — Oui, on l'a remarqué tous les deux. Il disait que tu n'étais pas aussi sympathique ni aussi intelligent que tu croyais l'être. — Je vois. Autre chose ? — Oui, il disait aussi que cette façon que tu avais de bien faire sentir que tu te considérais comme son ami le plus proche, plus proche, en tout cas, que nous deux, était absurde et incompréhensible. — Bon, c'est tout ? — Pas tout à fait : n'importe qui pouvait voir que comment-s'appelait-elle-déjà te faisait marcher en attendant mieux. Tu n'as pas remarqué comme elle flirtait avec Adrian ce jour où tu nous l'as présentée ? Ça nous a passablement choqués tous les deux. Elle avait presque sa langue dans son oreille à lui… »

Non, ils ne me seraient d'aucune aide. Et Mrs Ford était décédée. Et frère Jack était hors scène. Le seul témoin possible, la seule personne en mesure de corroborer, était Veronica.

J'ai dit que je voulais lui taper sur les nerfs, n'est-ce pas ? Ou, comme nous disons chez nous, lui « entrer sous la peau ». C'est une drôle d'expression, qui me fait toujours penser à la façon dont Margaret fait rôtir un poulet. Elle détache délicatement la peau du blanc et des cuisses, et glisse du beurre et des fines herbes dessous. De l'estragon, probablement. Peut-être un peu d'ail aussi, je ne suis pas sûr. Je n'ai jamais essayé ça moi-même, ni alors ni depuis ; mes doigts sont trop maladroits, et je les imagine déchirant la peau.

Margaret m'a parlé d'une manière française de le faire, qui est encore plus raffinée. Ils glissent des tranches de truffe noire sous la peau — et vous savez comment ils appellent ça ? Poulet demi-deuil. Je suppose que ce nom de recette date du temps où les gens en deuil ne portaient que du noir pendant quelques mois, du gris pendant quelques autres mois, et ne revenaient que lentement aux couleurs de la vie. Plein-, demi-, quart-de-deuil ? Je ne sais pas si c'étaient les termes employés, mais je sais que les gradations vestimentaires étaient bien établies. À présent, combien de temps porte-t-on le deuil ? Une demi-journée dans la plupart des cas — juste assez longtemps pour l'enterrement ou l'incinération et la collation qui suit.

Pardon, c'est un peu hors sujet. Je voulais «lui entrer sous la peau», c'est ce que je disais, non ? Voulais-je dire ce que je croyais vouloir dire par là, ou autre chose ? *I've got you under my skin* — c'est une chanson d'amour, pas vrai ?

Je ne veux rien reprocher à Margaret. Rien du tout. Mais, pour le dire simplement, si c'était «ma vie maintenant », vers qui pouvais-je me tourner ? J'ai hésité quelques jours avant d'envoyer un nouveau mail à Veronica. Je m'y enquérais de ses parents. Son père vivait-il encore ? La fin de vie de sa mère avait-elle été douce ? J'ai ajouté que, bien que ne les ayant rencontrés qu'une fois, j'avais un bon souvenir d'eux. Ce qui, en somme, était vrai à cinquante pour cent. Je ne comprenais pas pourquoi je posais ces questions. Je suppose que je voulais faire quelque chose de normal ou, du moins, faire comme si quelque chose était normal même si ce n'était pas le cas. Quand on est jeune (quand je l'étais, en tout cas), on veut que ses émotions ressemblent à celles dont il est question dans les livres ; on veut qu'elles bouleversent notre vie, créent et définissent une nouvelle réalité. Plus tard, je pense, on veut qu'elles fassent quelque chose de plus modéré, de plus pragmatique : on veut qu'elles soutiennent notre vie telle qu'elle est, et est devenue. On veut qu'elles nous disent que tout va bien. Et y a-t-il quelque chose de mal à ça ?

La réponse de Veronica a été une surprise et un soulagement. Elle n'avait pas jugé mes questions impertinentes. C'était presque comme si elle était contente que je les aie posées. Son père est mort il y a quelque trente-cinq ans, d'un cancer de l'œsophage dû à son penchant de plus en plus prononcé pour la boisson. Je me suis senti coupable à l'idée que mes premières paroles à Veronica sur le Wobbly

Bridge avaient été des paroles désinvoltes au sujet des alcooliques chauves.

Après la mort de son père, sa mère avait vendu la maison de Chislehurst et était venue s'installer à Londres. Elle avait suivi des cours de dessin, commencé à fumer, et pris des locataires, bien qu'elle fût à l'abri du besoin. Elle est restée en bonne santé jusqu'au moment, il y a environ un an, où sa mémoire a flanché. Elle a commencé à ranger le thé dans le frigo et les œufs dans la boîte à pain, ce genre de chose. Un jour, elle a failli mettre le feu à la maison en laissant une cigarette allumée. Elle a gardé bon moral, jusqu'à ce qu'elle décline brusquement. Les derniers mois ont été difficiles, et non, sa fin de vie n'a pas été douce, mais ç'a été une délivrance.

J'ai relu plusieurs fois ce mail. Je cherchais des pièges, des ambiguïtés, des insultes tacites… Il n'y en avait pas — à moins qu'une franche simplicité ne puisse être elle-même un piège. C'était une histoire tristement banale et trop familière, et simplement racontée.

Quand on commence à oublier des choses — je ne pense pas à Alzheimer, juste aux conséquences prévisibles du vieillissement —, il y a différentes façons de réagir. On peut essayer de forcer sa mémoire à retrouver le nom de cette personne de connaissance, cette fleur, cette gare, cet astronaute… Ou on admet l'échec et on prend une initiative pratique en consultant des livres de référence et des sites Internet. Ou on peut simplement laisser tomber — oublier de se souvenir —, et alors, parfois, on s'aperçoit que le fait égaré resurgit une heure ou un jour plus tard, souvent pendant ces longues nuits blanches que l'âge impose. Nous apprenons tous cela, ceux d'entre nous qui oublient des choses.

Mais nous apprenons aussi autre chose : que le cerveau n'aime pas être enfermé dans un rôle. Juste au moment où vous pensez que tout est une question de diminution, de soustraction et de division, votre cerveau, votre mémoire, peut vous surprendre. Comme s'il ou elle disait : N'imagine pas que tu puisses compter sur quelque réconfortant processus de déclin progressif — la vie est *beaucoup* plus compliquée que ça. Et donc le cerveau vous jette des bribes de souvenirs de temps en temps, et débloque même ces circuits en boucle familiers de la mémoire. C'était ce qui, à ma consternation, m'arrivait maintenant. J'ai commencé à me souvenir, sans ordre ni sentiment d'importance particuliers, de détails depuis longtemps oubliés de ce lointain week-end avec la famille Ford. De ma mansarde, on voyait un bois par-delà des toits ; j'entendais une horloge qui, quelque part en bas, sonnait l'heure avec cinq minutes exactement de retard. Mrs Ford jetait d'une pichenette le jaune d'œuf frit morcelé dans la poubelle avec un air de préoccupation — pour lui, pas pour moi. Son mari essayait de me faire boire du brandy après le dîner et, comme je refusais, demandait si j'étais un homme ou une souris. Frère Jack s'adressait à Mrs Ford en disant «la Mater», comme dans : «Quand la Mater pense-t-elle qu'il pourrait y avoir de la tambouille pour les troupes affamées?» Et, le deuxième soir, Veronica a fait plus que monter jusqu'au grenier avec moi. Elle a dit : «Je vais accompagner Tony jusqu'à sa chambre», et a pris ma main devant les autres. Frère Jack a demandé : «Et qu'est-ce que la Mater pense de ça?» Mais la Mater s'est contentée de sourire. Mes «bonne nuit» à la famille ce soir-là ont été hâtifs, car je sentais venir une érection. Nous sommes montés lentement jusqu'à ma chambre, où Veronica m'a plaqué contre la porte, m'a embrassé sur la bouche et a murmuré à mon oreille : «Dors du sommeil des damnés.» Et environ quarante secondes plus tard, je m'en souviens maintenant, je déchargeais dans le petit lavabo et l'eau entraînait mon sperme le long de la tuyauterie de la maison.

L'idée m'a pris de taper «Chislehurst» sur Google. Et j'ai découvert qu'il n'y avait jamais eu d'église St Michael là-bas. Donc la visite guidée de Mr Ford en voiture avait dû être fantaisiste — quelque blague entre eux, ou une façon de me faire marcher. Je doute fort qu'il y ait eu un Café Royal aussi. Puis je suis allé sur Google Earth, slalomant et zoomant à travers la localité. Mais la maison que je cherchais ne semblait plus exister.

L'autre soir, je me suis permis un verre de plus, j'ai allumé mon ordinateur, et cliqué sur la seule Veronica dans mon carnet d'adresses. J'ai suggéré une nouvelle rencontre. Je me suis excusé pour ce que j'avais pu faire pour rendre les choses difficiles la première fois. J'ai promis que je ne voulais pas parler du testament de sa mère. C'était vrai, d'ailleurs ; mais ce n'est qu'en écrivant cette phrase que je me suis rendu compte que j'avais à peine pensé à Adrian ou à son journal depuis quelques jours.

« Est-ce qu'il s'agit de boucler la boucle ? » a-t-elle répondu.

« Je ne sais pas, ai-je écrit. Mais ça ne peut pas faire de mal, si ? »

Elle n'a pas répondu à cette question, mais sur le moment je n'y ai pas pris garde.

Je ne sais pas pourquoi, mais une partie de moi-même pensait qu'elle suggérerait qu'on se retrouve cette fois aussi sur le pont. Ou bien ça, ou bien quelque endroit douillet et d'une prometteuse intimité : un pub oublié, un bistrot tranquille, ou même le bar du Charing Cross Hotel. Elle a choisi la brasserie au troisième étage du magasin John Lewis d'Oxford Street.

En fait, cela avait son côté pratique : il me fallait quelques mètres de cordon pour changer celui d'un store, du détartreur à bouilloire, et un assortiment de ces pièces qu'on applique au fer à l'intérieur des pantalons quand ils se déchirent au genou. Il est difficile d'en trouver près de chez moi : là où j'habite, la plupart de ces utiles petites boutiques ont été transformées depuis longtemps en restaurants ou en agences immobilières.

Dans le train de banlieue, il y avait une fille assise en face de moi, écouteurs dans les oreilles, yeux clos, insensible au monde extérieur, hochant la tête au rythme d'une musique qu'elle seule pouvait entendre. Et soudain, un souvenir complet m'est revenu : de Veronica dansant. Oui, elle ne dansait pas — c'est ce que j'ai dit —, mais il y avait eu un soir dans ma chambre où, d'humeur espiègle, elle s'était mise à sortir mes disques pop.

«Mets-en un, que je te voie danser», avait-elle dit.

J'avais secoué la tête. «Il faut être deux pour ça.

— D'accord, montre-moi et j'en ferai autant.»

Alors j'avais chargé de 45 tours le tourne-disque automatique, avancé vers elle, remué un peu les épaules pour détendre le corps, fermé à demi les yeux comme pour respecter son intimité, et commencé. Trémoussement masculin rudimentaire de l'époque, résolument individualiste tout en dépendant en fait d'une stricte imitation de normes dominantes : mouvements saccadés de la tête, des jambes, des épaules et du bassin, avec en prime les bras extatiquement levés et le grognement occasionnel. Au bout d'un moment j'ai rouvert les yeux, m'attendant à la voir encore assise sur la moquette et se moquant de moi. Mais elle était là à gambiller d'une façon qui m'a fait soupçonner qu'elle avait suivi des cours de danse, les cheveux sur le visage et les mollets plein d'énergie. Je l'ai observée, sans trop savoir si elle se payait ma tête ou si elle s'éclatait sur cet air des Moody Blues. Au fond, ça m'était égal — je m'amusais et j'éprouvais un sentiment de petite victoire. Cela a duré un bon moment, puis je me suis rapproché d'elle tandis qu'on passait de *From a Jack to a King* de Ned Miller à Bob Lind chantant *Elusive Butterfly*. Mais elle ne l'a pas remarqué et, tournoyant, s'est heurtée à moi, perdant presque l'équilibre. J'ai empoigné son bras.

« Tu vois, ce n'est pas si difficile…

— Oh, je n'ai jamais pensé que c'était difficile, a-t-elle répondu. Bon. Oui. Merci », a-t-elle ajouté avec quelque raideur, puis elle est allée se rasseoir. « Continue si tu veux. Ça suffit pour moi. »

Tout de même, elle avait dansé.

J'ai fait mes emplettes aux rayons mercerie, « cuisine » et « stores », et je suis monté à la brasserie. J'étais en avance d'une dizaine de minutes, mais bien entendu Veronica était déjà là, le nez dans un livre, sûre que je la trouverais aisément. Quand j'ai posé mes sacs sur la table, elle a levé les yeux et esquissé un sourire. J'ai pensé : tu n'as pas l'air si négligé ni hirsute finalement.

« Je suis toujours chauve », ai-je dit.

Elle s'en est tenue à un quart de sourire.

« Que lis-tu ? »

Elle a tourné la couverture de son livre de poche vers moi. Quelque chose de Stefan Zweig.

«Alors tu es finalement arrivée au bout de l'alphabet… Il ne peut plus y avoir personne après lui.» Pourquoi étais-je soudain nerveux? Je parlais de nouveau comme un type de vingt ans. Et je n'avais rien lu de Stefan Zweig.

«Je vais prendre les pâtes», a-t-elle dit.

Bon, au moins ce n'était pas une rebuffade.

Pendant que je parcourais la carte, elle a continué à lire. Notre table donnait sur un entrecroisement d'escaliers mécaniques. Des gens montant, des gens descendant; tout le monde achetant quelque chose.

«Dans le train, je me rappelais la fois où tu as dansé. Dans ma chambre à Bristol.»

Je m'attendais à ce qu'elle me contredise, ou s'offusque pour quelque obscure raison. Mais elle a seulement répondu : «Je me demande pourquoi tu t'es souvenu de ça.» Et, avec ce moment de corroboration, j'ai commencé à sentir un retour de confiance en moi. Elle était plus élégamment vêtue cette fois; ses cheveux étaient sous contrôle et semblaient moins gris. Elle parvenait d'une certaine façon à paraître — à mes yeux — avoir en même temps vingt ans et soixante.

«Alors, ai-je dit, comment les quarante dernières années t'ont-elles traitée?»

Elle m'a regardé. «Toi d'abord.»

Je lui ai raconté l'histoire de ma vie. La version que je me raconte à moi-même, celle qui tient le

165

coup. Elle s'est enquise de «ces deux amis» à moi qu'elle avait rencontrés une fois — sans pouvoir, semblait-il, les nommer. J'ai dit que j'avais perdu de vue Colin et Alex. Puis je lui ai parlé de Margaret et de Susie et de la condition de grand-parent, tout en repoussant le chuchotement de Margaret dans ma tête : «Comment va la Toquée?» J'ai parlé de ma vie professionnelle, et de la retraite, et du besoin de s'occuper, et des brèves vacances d'hiver que je prenais — cette année, je pensais à Saint-Pétersbourg sous la neige pour changer... J'essayais de paraître satisfait de ma vie mais pas trop content de moi. J'étais en train de décrire mes petits-enfants, lorsqu'elle a levé les yeux, a bu son café d'un trait, a mis un peu d'argent sur la table et s'est levée. J'ai mis moi-même la main à la poche, mais elle a dit :

«Non, reste et finis le tien.»

J'étais résolu à ne rien faire qui pourrait la contrarier, alors je me suis rassis.

«Eh bien, à ton tour maintenant», ai-je dit. Par quoi je voulais dire : de raconter ta vie.

«À mon tour de quoi?» a-t-elle demandé, mais elle est partie avant que je puisse répondre.

Oui, je sais ce qu'elle avait fait. Elle était parvenue à passer une heure en ma compagnie sans révéler un seul fait, ni, *a fortiori*, un seul secret, à son sujet. Où et comment elle vivait; si elle vivait avec quelqu'un, ou avait des enfants. Elle portait à son annulaire une bague en verre rouge, qui était aussi énigmatique que le reste de sa personne. Mais peu importait ; en fait, je réagissais comme si j'étais allé à un rendez-vous avec une fille et m'en étais sorti sans rien faire de catastrophique. Sauf que, bien sûr, ce n'était pas du tout comme ça. Après un premier rendez-vous, on n'a pas, assis dans un train, l'esprit submergé par une vérité oubliée sur une vie sexuelle commune quarante ans auparavant. Comme on avait été attirés l'un par l'autre ; comme elle m'avait semblé légère sur mes genoux ; comme c'était toujours excitant ; comme, même si ce n'était pas le «grand jeu», tous les éléments d'une relation amoureuse — le désir, la tendresse, la franchise, la confiance — étaient tout de même là. Et comme une part de moi-même n'avait pas été très gênée de ne pas le faire «pour de bon», pas été très gênée par les moments de branlette apocalyptique après que je l'avais raccompagnée chez elle, ni par le fait de dormir dans mon petit lit, seul avec mes souvenirs et une érection qui revenait rapidement. Une telle acceptation d'avoir moins que ce que d'autres avaient était aussi due à la peur, bien sûr : peur qu'elle ne tombe enceinte, peur de dire ou de faire ce qu'il ne fallait pas, peur d'une oppressante intimité dont j'aurais du mal à m'accommoder.

La semaine suivante a été très calme. J'ai changé le cordon de mon store, détartré la bouilloire, rafistolé un vieux jean déchiré au genou. Je savais que Margaret resterait silencieuse jusqu'à ce que, peut-être, je la rappelle. Et alors à quoi s'attendrait-elle? Une plate et vile repentance? Non, elle n'était pas punitive; elle acceptait toujours le sourire penaud que je lui adressais en reconnaissance de sa plus grande sagesse. Mais cela pourrait ne pas être le cas cette fois. En fait, je n'allais peut-être pas la revoir avant un bon moment. Une partie de moi-même se sentait vaguement coupable à son sujet. Je n'y ai d'abord rien compris : c'était elle qui m'avait dit que c'était «ma vie maintenant». Mais un souvenir des premières années de notre mariage m'est revenu. Un collègue m'avait invité à une soirée qu'il donnait; Margaret n'avait pas voulu venir. J'avais flirté avec une fille, et elle avec moi. Enfin, un peu plus que du flirt — quoique encore bien loin même de l'*infrasexe* —, mais j'y avais mis le holà dès que je m'étais dégrisé. Pourtant j'en avais ressenti de l'excitation et de la culpabilité en égales proportions. Et maintenant, je me rendais compte que je ressentais quelque chose de semblable. Il m'a fallu un moment pour y voir plus clair. Finalement, je me suis dit : bon, alors tu ressens de la culpabilité envers ton ex-femme, qui a divorcé de toi il y a vingt ans, et de l'excitation envers une ancienne petite amie que tu n'as pas revue depuis quarante ans... Qui a dit qu'il n'y avait plus de surprises dans la vie?

Je ne voulais pas bousculer Veronica. Je me disais que j'attendrais qu'elle se manifeste cette fois. Je consultais un peu trop souvent ma boîte de réception. Bien sûr, je n'espérais pas une grande effusion, mais, peut-être, un message aimable disant que ç'avait été agréable de me revoir dans de meilleures conditions après toutes ces années.

Eh bien, ça ne l'avait peut-être pas été. Et peut-être était-elle partie en voyage, ou son serveur de messagerie était en panne. Qui a dit cette chose sur l'éternelle espérance du cœur humain ? Vous savez comme il nous arrive de lire ces histoires sur ce que les journaux aiment appeler « l'amour qui fleurit sur le tard » ? Généralement au sujet de quelque vieux bonhomme et vieille bonne femme dans une maison de retraite ? Tous deux veufs, souriant de toutes leurs fausses dents en tenant chacun la main arthritique de l'autre ? Souvent, ils parlent encore ce qui semble être la langue inappropriée de l'amour juvénile. « Dès que je l'ai vu/e, j'ai su que c'était lui/elle » — ce genre de chose. Une part de moi-même est toujours touchée et a envie d'applaudir ; mais une autre part est circonspecte et perplexe. À quoi bon revivre tout ça ? Ne connaissez-vous pas la règle : échaudé une fois, échaudé deux fois ? Mais maintenant, je me sentais révolté contre mon propre... quoi donc ? conformisme, manque d'imagination, désappointement anticipé ? Et d'ailleurs, pensais-je, j'ai encore mes vraies dents.

Cette nuit d'antan où quelques-uns d'entre nous étaient allés à Minsterworth afin de voir le mascaret de la Severn, Veronica était venue aussi. Mon cerveau avait dû effacer ce fait de ma mémoire, mais maintenant j'en étais sûr. Elle était là avec moi. On était assis, la main dans la main, sur une couverture humide posée sur une berge humide ; elle avait apporté une Thermos de chocolat chaud. Jours innocents. Le clair de lune avait révélé la vague déferlante à son approche. Les autres avaient salué son arrivée en poussant des cris de joie et s'étaient lancés à sa poursuite dans la nuit, en criant encore, avec des torches électriques dont les faisceaux s'entrecroisaient çà et là. Restés seuls, elle et moi avions parlé de ces choses impossibles qui arrivent parfois, ces choses qu'on ne croirait pas si l'on n'en avait pas été soi-même témoin. Notre humeur était pensive, mélancolique même, plutôt qu'extatique.

Du moins, c'est ainsi que je m'en souviens maintenant. Mais je doute que, dans un prétoire, je passerais très bien l'épreuve du contre-interrogatoire. « ... Et pourtant vous affirmez que ce souvenir a été effacé pendant quarante ans ? — Oui. — Et n'a refait surface que récemment ? — Oui. — Pouvez-vous expliquer pourquoi il a refait surface ? — Pas vraiment. — Alors permettez-moi de suggérer, Mr Webster, que cet événement supposé est un pur produit de votre imagination, élaboré pour justifier quelque penchant amoureux que vous semblez avoir eu pour ma cliente, une présomption que, la cour doit le savoir, ma cliente trouve absolument répugnante ! — Oui, peut-être, mais... — Mais quoi, Mr Webster ? — Mais nous n'aimons pas beaucoup d'êtres en cette vie. Un, deux, trois? Et parfois nous ne prenons pas conscience du fait avant qu'il ne soit trop tard. Sauf qu'il n'est pas nécessairement trop tard. Avez-vous lu cette histoire d'amour-fleurissant-sur-le-tard dans une maison de retraite à Barnstaple? — Oh, s'il vous plaît, Mr Webster, épargnez-nous vos élucubrations sentimentales... Ceci est une cour de justice, qui s'attache aux faits. Quels sont les faits réels en l'occurrence?»

Je pourrais seulement répondre que je pense — j'imagine — que quelque chose — autre chose — arrive à la mémoire avec le temps. Pendant des années on survit avec les mêmes souvenirs qui reviennent en boucle, les mêmes faits et les mêmes émotions. J'appuie sur le bouton marqué Adrian ou Veronica, la bande tourne et tout défile à nouveau à l'identique. Les faits reconfirment les émotions — rancœur, un sentiment d'injustice, soulagement — et vice versa. Il semble n'y avoir aucun moyen d'accéder à autre chose; l'affaire est close. C'est pourquoi on cherche une corroboration, même si elle se révèle être une contradiction. Mais... et si, même à un stade avancé de l'existence, nos émotions en rapport avec ces événements et ces personnes d'autrefois changent? Cette vilaine lettre que j'avais écrite provoquait du remords en moi. Ce que Veronica m'avait dit de la mort de ses parents — oui, même celle de son père — m'avait touché plus que je ne l'aurais cru possible; j'éprouvais une nouvelle sympathie pour eux — et pour elle. Et puis, peu après, j'avais commencé à me souvenir de choses oubliées. J'ignore s'il y a une explication scientifique à ça — quelque chose à voir avec de nouveaux états affectifs rouvrant certaines voies neurales bloquées? Tout ce que je peux dire, c'est que c'est arrivé, et que ça m'a très étonné.

Quoi qu'il en soit — et nonobstant ce ténor du barreau dans ma tête —, j'ai envoyé un autre mail à Veronica et suggéré qu'on se revoie. Me suis excusé d'avoir tant monopolisé la conversation. Ai dit que j'aimerais en apprendre davantage sur sa vie et sa famille. Je devais aller à Londres à un moment ou un autre au cours des prochaines semaines. Même heure, même endroit?

Comment les gens supportaient-ils l'attente autrefois, quand les lettres mettaient si longtemps à arriver? J'imagine que trois semaines à attendre le facteur alors devaient être à peu près la même chose que trois jours à attendre un mail... Quelle impression peut-on avoir que cela dure, trois jours? Assez longtemps pour se sentir pleinement récompensé quand il arrive. Veronica n'avait même pas effacé l'intitulé de mon message — «Re-salut?» —, qui me paraissait maintenant assez cavalier. Mais elle n'avait pas pu s'en offusquer, car elle me donnait rendez-vous, une semaine plus tard, à cinq heures de l'après-midi, à l'entrée d'une station de métro peu familière du nord de Londres.

J'ai trouvé ça excitant. Qui n'aurait pas trouvé ça excitant? Certes, cela ne disait pas vraiment

«Apporte des vêtements de rechange et un passe-port», mais on en vient à un âge où les variations de l'existence semblent pitoyablement limitées… Cette fois encore, mon premier mouvement instinctif a été d'appeler Margaret, puis je me suis ravisé. De toute façon, mon ex-femme n'aime pas les surprises. C'était — c'est — quelqu'un qui aime planifier les choses. Avant qu'on ait Susie, elle surveillait son cycle de fertilité et suggérait quel moment serait le plus propice pour faire l'amour. Ce qui, soit me mettait dans un état de brûlante expectative, soit — inversement, en fait généralement — avait l'effet opposé. Margaret ne vous donnerait jamais mystérieusement rendez-vous sur une lointaine ligne de métro. Elle vous dirait plutôt de la retrouver sous l'horloge de la gare de Paddington pour un motif spécifique. Non pas que ce n'ait pas été ainsi que je voulais vivre ma vie à l'époque, vous comprenez.

J'ai passé une semaine à tenter de libérer de nouveaux souvenirs de Veronica, mais rien n'est venu. Peut-être essayais-je trop fort, pressurant mon cerveau. Alors j'ai repassé le film de ce que j'avais, les images depuis longtemps familières, et les plus récentes. Je les ai scrutées comme un objet qu'on tient à la lumière en le tournant entre ses doigts, tâchant de voir si elles avaient maintenant un sens différent. J'ai commencé à réexaminer mon plus jeune *moi*, autant qu'on puisse le faire. Bien sûr, j'avais été sot et naïf — nous l'avons tous été ; mais je savais qu'il ne faut pas non plus exagérer ces défauts, parce que ce n'est qu'une façon de se louer de ce qu'on est devenu. J'ai essayé d'être objectif. Cette version de ma relation avec Veronica, celle à laquelle je m'étais tenu pendant tout ce temps, était celle dont j'avais eu besoin à l'époque. Le jeune cœur trahi, le jeune corps dont *on* se joue, le jeune être social traité avec condescendance. Qu'avait répondu le vieux Joe Hunt quand j'avais affirmé d'un air entendu que, l'Histoire, ce sont les mensonges des vainqueurs ? « Du moment que vous vous rappeliez que ce sont aussi les mensonges des vaincus à eux-mêmes. » Est-ce qu'on se souvient assez de ça quand il s'agit de nos vies privées ?

Ceux qui veulent nier le passage du temps disent : quarante ans, ce n'est rien, à cinquante on est dans la fleur de l'âge, la soixantaine est la nouvelle quarantaine, et ainsi de suite. Je sais pour ma part qu'il y a un temps objectif, mais aussi un temps subjectif, le genre de temps qu'on porte sur la face interne du poignet, là où bat le pouls. Et ce temps personnel, qui est le vrai temps, se mesure dans notre relation à la mémoire. Alors, quand cette chose étrange est arrivée — quand ces nouveaux souvenirs me sont soudain revenus —, ç'a été comme si, pendant ce moment-là, le temps avait été inversé. Comme si, pendant ce moment-là, le fleuve avait coulé vers l'amont.

Naturellement, j'étais bien trop en avance, alors je suis descendu du train de banlieue un arrêt avant et, assis sur un banc, j'ai lu, ou du moins regardé, un journal gratuit. Puis j'ai repris un train jusqu'à la station suivante, où un escalier roulant m'a conduit vers un hall de vente de tickets situé dans une partie de Londres inconnue de moi. En franchissant le portillon, j'ai vu une silhouette et une façon de se tenir familières. Aussitôt, elle a tourné les talons et s'est éloignée. Je l'ai suivie, au-delà d'un arrêt de bus puis dans une rue latérale, où elle a déverrouillé les portières d'une voiture. Je me suis installé sur le siège du passager et je l'ai regardée. Elle mettait déjà le moteur en marche.

«C'est drôle, j'ai une Polo aussi.»

Elle n'a pas répondu. Je n'aurais pas dû en être surpris, car d'après ce que je savais et me rappelais d'elle, si lointain et dépassé que fût ce souvenir, les conversations en voiture n'étaient pas son truc. Ce n'était pas le mien non plus — mais je me suis bien gardé de lui expliquer ça.

L'après-midi était encore chaud. J'ai baissé ma vitre. Elle a jeté un coup d'œil au-delà de moi, en fronçant les sourcils. J'ai relevé la vitre. Ah bah, me suis-je dit.

«Je pensais l'autre jour à cette nuit où on a vu le mascaret de la Severn...»

Pas de réponse.

«Tu t'en souviens?» Elle a secoué la tête. «Vraiment pas? On était allés en groupe à Minster-worth. Il y avait un clair de lune…

— Je conduis, a-t-elle dit.

— Très bien.» Si c'était ainsi qu'elle le voulait. Après tout, c'était son expédition… J'ai regardé dehors : supérettes, restaurants bon marché, un bureau de bookmaker, des gens faisant la queue devant un distributeur de billets, des femmes aux bourrelets de chair visibles à la taille sous leur sari, un tas d'ordures, un fou hurlant, une mère obèse avec trois enfants obèses, des visages de tous les continents, bref une rue londonienne polyvalente normale.

Au bout de quelques minutes, on est arrivés dans un quartier un peu plus chic : maisons individuelles, jardinets, une colline. Veronica s'est garée le long d'un trottoir. J'ai pensé : O.K., c'est ton jeu — j'en attendrai les règles, quelles qu'elles puissent être. Mais une partie de moi-même pensait aussi : Merde, je ne vais pas cesser d'être moi-même juste parce que tu es retombée dans ton état d'esprit «Wobbly Bridge».

«Comment va frère Jack?» ai-je demandé gaiement. Elle ne pouvait guère répondre «Je conduis» à cette question.

«Il va comme il va», a-t-elle répliqué, sans me regarder.

Eh bien, *c'est* philosophiquement évident, comme nous disions à l'époque d'Adrian.

«Tu te souviens…

— Plus tard», m'a-t-elle coupé.

Très bien, ai-je pensé. D'abord un rendez-vous, puis «Je conduis», et maintenant «Plus tard». Qu'est-ce qui vient ensuite? Emplettes, préparation et absorption du repas, pelotage, branlette et baise? J'en doute fort. Mais tandis que nous étions assis là côte à côte, un homme chauve et une femme hirsute, j'ai pris conscience de ce que j'aurais dû remarquer tout de suite : de nous deux, Veronica était, de beaucoup, la plus nerveuse. Et alors que j'étais nerveux à cause d'elle, elle n'était manifestement pas nerveuse à cause de moi. Je n'étais qu'une sorte de motif mineur et nécessaire d'irritation. Mais pourquoi étais-je nécessaire?

J'ai attendu. Je regrettais presque d'avoir laissé ce journal gratuit dans le train. Je me suis demandé pourquoi je n'avais pas pris ma voiture. Sans doute parce que j'ignorais quelles seraient les restrictions de stationnement. J'avais envie d'un verre d'eau. Et aussi de pisser. J'ai baissé la vitre. Cette fois, Veronica n'a pas réagi.

«Regarde.»

J'ai regardé. Un petit groupe de gens venait sur le trottoir vers mon côté de la voiture. J'en ai compté cinq : d'abord un homme qui, malgré la chaleur, portait des vêtements en tweed épais, dont un gilet et une sorte de couvre-chef à la Sherlock Holmes; sa veste et son chapeau étaient couverts de badges en métal, trente ou quarante, je dirais, dont certains brillaient au soleil; une chaîne de montre était suspendue entre les poches

177

de son gilet. Son expression était enjouée : il ressemblait à un de ces types qu'on voit dans les cirques ou les foires. Derrière lui venaient deux hommes : le premier avait une moustache noire et une démarche chaloupée, le second était petit et difforme, avec une épaule bien plus haute que l'autre — il s'est arrêté un instant pour cracher dans un jardinet. Puis venait un grand échalas à lunettes, et à l'air un peu simplet, qui tenait la main d'une femme replète d'aspect vaguement indien.

« Pub, a dit l'homme moustachu lorsqu'ils ont été plus près.

— Non, pas pub, a répondu l'homme aux badges.

— Pub, a insisté le premier.

— Magasin », a dit la femme.

Ils parlaient tous très fort, comme des enfants qu'on vient de laisser sortir de leur école.

« Magasin », a répété l'homme de guingois avant d'expédier délicatement un autre crachat dans une haie.

Je regardais aussi attentivement que je le pouvais, parce que c'était ce qu'on m'avait enjoint de faire. Ils devaient tous, je pense, avoir entre trente et cinquante ans, mais en même temps ils semblaient d'une certaine façon sans âge. Ils avaient aussi quelque chose de craintif, comme le soulignait la manière dont les deux derniers se tenaient la main ; cela évoquait moins un sentiment amoureux qu'une attitude de défense contre le monde. Ils sont passés près de nous, sans un coup d'œil à la voiture. Quelques mètres derrière venait un jeune homme en short et en chemise à col ouvert. Je n'aurais pu dire si c'était leur accompagnateur ou s'il n'avait rien à voir avec eux.

Il y a eu un long silence. Manifestement, j'allais devoir faire tout le travail.

« Alors ? »

Elle n'a pas répondu. Question trop générale, peut-être.

« Qu'est-ce qui cloche avec eux ?

— Qu'est-ce qui cloche avec *toi* ? »

Cela ne semblait pas être une réponse pertinente, malgré son ton acrimonieux. Alors j'ai continué.

« Ce jeune homme était avec eux ? »

Silence.

« Ce sont des "assistés hors institution" ou quelque chose comme ça ? »

Mon occiput a heurté l'appuie-tête quand Veronica a brusquement démarré. Elle a fait à toute allure le tour d'un ou deux pâtés de maisons, fonçant sur les ralentisseurs avec sa voiture comme si c'était un cheval d'obstacles pendant un concours. Ses changements de vitesse, ou leur absence, étaient terribles. Cela a duré environ quatre minutes, puis elle s'est garée tout aussi brusquement dans un emplacement libre, montant sur le trottoir avec sa roue avant gauche avant d'en redescendre.

Je me suis surpris à penser que Margaret a tou-jours été une bonne conductrice, pas seulement prudente mais veillant à bien traiter une voiture. À l'époque lointaine où j'apprenais à conduire, le moniteur avait expliqué que lorsqu'on change de vitesse, on doit le faire, avec le levier et l'em-brayage, d'une façon si douce et imperceptible que la tête de ses passagers ne bouge pas d'un centimètre sur leur colonne vertébrale. Cela m'avait frappé, et je l'avais souvent remarqué quand d'autres conduisaient. Si je vivais avec Veronica, je devrais aller chez le chiropracteur une semaine sur deux.

«Tu ne piges pas, hein? Tu n'as jamais pigé, et tu ne pigeras jamais.

— Je ne peux pas dire que je suis beaucoup aidé.»

Alors je les ai vus — les mêmes cinq ou six inconnus — venir encore vers nous. Ç'avait été le but de la manœuvre : être de nouveau devant eux. Nous étions à côté d'un magasin et d'une laverie automatique, et il y avait un pub de l'autre côté de la rue. L'homme aux badges — «bonimen-teur», voilà le mot que j'avais cherché, le type enjoué à l'entrée d'une baraque de foire qui vous invite à venir voir la femme à barbe ou le panda à deux têtes — marchait encore devant. Les quatre autres entouraient maintenant le jeune homme en short, qui était donc vraisemblablement avec eux… Quelque travailleur social? Je l'ai entendu dire :

«Non, Ken, pas de pub ce soir. Le pub, c'est le vendredi.

— Vendredi», a répété le moustachu.

J'avais conscience que Veronica avait détaché sa ceinture de sécurité et ouvrait sa portière. Quand j'ai voulu en faire autant, elle a dit :

«Reste ici.» J'aurais pu être un chien.

Le débat pub-ou-magasin durait encore quand l'un d'eux a remarqué Veronica. L'homme en tweed a ôté son chapeau et l'a tenu sur son cœur, puis a salué d'une brève inclinaison de tête. Le type de guingois s'est mis à sautiller sur place. Le gars dégingandé a lâché la main de la femme. Le travailleur social a souri et tendu la main à Veronica. En un instant, elle s'est retrouvée au centre d'une inoffensive embuscade. La femme indienne tenait maintenant la main de Veronica, et l'homme qui voulait aller au pub avait posé sa tête sur son épaule. Elle ne semblait nullement gênée par toute cette attention. Je l'ai vue sourire pour la première fois cet après-midi-là. J'ai essayé d'entendre ce qu'ils disaient, mais trop de voix se mêlaient. Puis j'ai vu Veronica se tourner et je l'ai entendue dire :

«À bientôt.

— À bientôt», ont répété deux ou trois d'entre eux.

L'homme de guingois a sautillé encore un peu plus, le gars dégingandé a eu un grand sourire de simplet et crié : «Bye, Mary !» Ils ont commencé à la suivre vers la voiture, puis ils m'ont remarqué sur le siège du passager et se sont arrêtés net. Quatre d'entre eux se sont mis à agiter frénétiquement les mains pour dire au revoir, tandis que l'homme en tweed avançait hardiment vers mon côté de la voiture. Son chapeau était encore plaqué sur son cœur. Il a tendu sa main libre à travers l'ouverture de la portière, et je l'ai serrée.

«Nous allons au magasin, m'a-t-il dit cérémonieusement.

— Qu'allez-vous acheter?» ai-je demandé, avec la même solennité.

Ça l'a déconcerté, et il a réfléchi un bon moment.

«Des choses dont nous avons besoin», a-t-il finalement répondu. Il a hoché la tête pour lui-même et ajouté, obligeamment : «Des choses nécessaires.»

Puis il a refait son petit salut guindé de la tête, tourné les talons, et remis son chapeau couvert de badges sur son crâne.

«Il a l'air d'un très brave homme», ai-je commenté.

Mais elle engageait la première d'une main, et disait au revoir de l'autre. J'ai remarqué qu'elle transpirait. Oui, c'était une chaude journée, mais quand même.

«Ils étaient tous très contents de te voir.»

Je devinais qu'elle n'allait répondre à rien de ce que je pourrais dire. Et aussi qu'elle était furieuse — certainement contre moi, mais contre elle-même aussi. Je ne peux pas dire que j'avais l'impression d'avoir fait quelque chose de mal. J'étais sur le point d'ouvrir la bouche quand j'ai vu qu'elle fonçait vers un ralentisseur, sans lever le pied le moins du monde, et l'idée m'a effleuré que je pourrais me couper le bout de la langue au moment de l'impact. Alors j'ai attendu qu'elle ait franchi l'obstacle pour dire :

«Je me demande combien de badges a ce type…»

Silence. Ralentisseur.

«Est-ce qu'ils vivent tous dans la même maison?»

Silence. Ralentisseur.

«Ainsi le pub c'est le vendredi.»

Silence. Ralentisseur.

«Oui, on est bien allés à Minsterworth ensemble. Il y avait un clair de lune cette nuit-là.»

Silence. Ralentisseur. Maintenant on s'engageait dans la rue principale, sans rien d'autre que du macadam plat entre nous et la station de métro, si je me souvenais bien.

«C'est une partie très intéressante de la ville.» Je pensais que l'irriter pourrait provoquer une réaction — quelle que cette réaction puisse être. La traiter comme une compagnie d'assurances était une chose du passé.

«Oui, tu as raison, je devrais rentrer bientôt.»

«Mais ç'a été chouette d'échanger des nouvelles l'autre jour pendant ce déjeuner.»

«Y a-t-il des livres de Stefan Zweig que tu recommanderais particulièrement?»

«On voit beaucoup de personnes obèses maintenant. C'est un des changements depuis qu'on était jeunes, n'est-ce pas? Je ne me souviens pas d'un seul obèse à Bristol.»

«Pourquoi ce gars simplet t'a-t-il appelée Mary?»

Une chance que ma ceinture de sécurité ait été attachée. Cette fois la technique employée par Veronica pour se garer a consisté à monter sur le trottoir avec deux roues à environ trente kilomètres/heure avant d'écraser la pédale de frein.

«Dehors», a-t-elle dit en regardant droit devant elle.

J'ai hoché la tête, détaché ma ceinture, et je suis lentement descendu de la voiture. J'ai tenu la portière ouverte plus longtemps que nécessaire, juste pour l'irriter une dernière fois, et j'ai dit :

«Tu vas bousiller tes pneus si tu continues comme ça.»

La poignée de la portière a été arrachée de ma main quand elle a démarré en trombe.

Je suis rentré en train sans penser à rien, quasiment — juste en proie à d'amers sentiments. Et sans même penser à ce que je ressentais. Ce soir-là seulement j'ai commencé à réfléchir à ce qui était arrivé.

Je me sentais surtout stupide et humilié d'avoir songé à — comment avais-je appelé ça, quelques jours seulement plus tôt? — «l'éternelle espérance du cœur humain». Et, avant cela, à «l'attrait de surmonter le mépris de quelqu'un». Je ne crois pas souffrir habituellement de vanité, mais j'en avais manifestement été plus affligé que je n'en avais eu conscience. Ce qui n'avait d'abord été qu'une détermination à obtenir un bien qui m'avait été légué s'était transformé en quelque chose de bien plus vaste, quelque chose qui concernait ma vie entière, le temps et la mémoire. Et le désir. J'avais cru — à quelque niveau de mon être, j'avais vraiment cru — que je pourrais revenir au début et changer le cours des choses; que je pourrais inverser le courant... J'avais eu la vanité d'imaginer — même si je ne le formulais pas plus fortement que ça — que je pourrais faire en sorte que Veronica m'apprécie encore, et qu'il était important de le faire. Lorsqu'elle avait parlé dans un mail de «boucler la boucle», je n'avais pas du tout perçu le ton de moquerie sarcastique, et j'avais pris cela pour une invitation, presque une avance.

Son attitude envers moi, à y regarder de plus près, avait été cohérente — pas seulement au cours des derniers mois, mais depuis bien long-temps. Elle m'avait trouvé déficient, avait préféré Adrian, et toujours considéré ces jugements cor-rects. C'était, je m'en rendais maintenant compte, évident à tout point de vue, philosophique ou autre... Mais, sans comprendre mes propres motivations, j'avais voulu lui prouver, même aussi tardivement, qu'elle s'était trompée sur moi. Ou plutôt, que son opinion initiale — quand nous apprenions à nous connaître, chacun explorant le cœur et le corps de l'autre, quand elle approuvait certains de mes livres et de mes disques, quand elle m'appréciait assez pour m'inviter chez elle — avait été correcte. J'avais cru pouvoir surmonter le mépris et ramener le remords à un simple sentiment de culpabilité, puis être pardonné. J'avais été tenté, d'une certaine façon, par l'idée que nous pourrions retrancher la plus grande partie de nos existences respectives, pourrions couper et coller la bande magnétique sur laquelle nos vies sont enregistrées, revenir à ce lointain embranchement et prendre la route la moins parcourue, ou, plutôt, pas parcourue du tout. Au lieu de cela, j'avais oublié tout bon sens. Vieux fou, me suis-je dit. Et il n'est pire fou qu'un vieux fou : c'est ce que ma mère depuis longtemps disparue avait coutume de marmotter quand elle lisait dans le journal des histoires d'hommes mûrs s'éprenant de femmes plus jeunes et fichant leur mariage en l'air pour un sourire minaudier, des cheveux teints et une paire de nichons bien fermes. Non pas qu'elle eût dit ça comme ça. Et je ne pouvais même pas invoquer l'excuse du cliché «il ne fait que ce que les autres hommes de son âge font si souvent». Non, j'étais une sorte plus étrange de vieux fou, qui greffait de pitoyables espoirs d'affection sur l'être le moins approprié au monde.

La semaine suivante a été une de celles où, de toute ma vie, je me suis senti le plus seul. Il ne semblait plus rien y avoir à attendre et espérer.

J'étais seul avec deux voix qui parlaient clairement dans ma tête, celle de Margaret disant :
«Tony, c'est ta vie maintenant», et celle de Veronica disant : «Tu ne piges pas, hein? Tu n'as
jamais pigé, et tu ne pigeras jamais.» Et savoir
que Margaret ne triompherait pas si je l'appelais — savoir qu'elle consentirait volontiers à ce
qu'on se retrouve au restaurant pour un autre de
nos petits *lunchs*, et que nous pourrions continuer ainsi exactement comme avant — ne faisait
qu'accentuer mon sentiment de solitude. Qui a
dit que plus on vit, moins on comprend?

Malgré tout, comme j'ai tendance à le répéter,
j'ai un certain instinct de survie, de conservation.
Et croire qu'on a un tel instinct est presque aussi
bien que l'avoir vraiment, dans la mesure où cela
fait agir de la même façon. Alors, au bout d'un
moment, je me suis ressaisi. J'ai su que je devais
revenir à ce que j'avais été avant que cette sotte et
sénile chimère ne s'empare de moi. Je devais m'occuper de mes affaires — quelles qu'elles puissent
être à part ranger mon appartement et continuer
de gérer la bibliothèque de l'hôpital local. Ah
oui, et je pourrais me concentrer de nouveau sur
la tâche d'obtenir ce qui me revenait de plein
droit.

«Cher Jack, ai-je écrit. Je me demande si vous
pourriez m'aider encore un peu plus à propos de
Veronica. J'ai bien peur de la trouver aussi énigmatique qu'autrefois. Mais apprend-on jamais?
Quoi qu'il en soit, rien de bien nouveau en ce

qui concerne ce journal de mon ancien copain que votre mère m'a laissé dans son testament. D'autres conseils à ce sujet ? Et une autre petite énigme : j'ai déjeuné assez plaisamment avec V. en ville l'autre semaine. Puis elle m'a fait venir dans le nord de Londres un après-midi. Il semble qu'elle voulait me montrer quelques personnes assistées, puis elle s'est fâchée après l'avoir fait. Pouvez-vous éclairer quelque peu ma lanterne ? En espérant que tout va bien pour vous. Cordialement, Tony W. »

J'espérais que la bonhomie du ton ne lui paraîtrait pas aussi fausse qu'elle me semblait fausse. Puis j'ai écrit à Mr Gunnell, pour lui demander d'agir en mon nom au sujet du testament de Mrs Ford. Je lui ai dit — confidentiellement — que mes récentes entrevues avec la fille de la testatrice avaient suggéré une certaine instabilité, aussi pensais-je maintenant qu'il valait mieux qu'un confrère de Mrs Marriott écrive à celle-ci et exige une prompte résolution du problème.

Je me suis permis un adieu privé nostalgique. J'ai pensé à Veronica dansant, les cheveux sur le visage ; j'ai pensé à elle annonçant à sa famille : « Je vais accompagner Tony jusqu'à sa chambre », me chuchotant à l'oreille : « Dors du sommeil des damnés », et pensé à moi déchargeant dans le petit lavabo avant même qu'elle ne fût redescendue au rez-de-chaussée. J'ai pensé à la face interne un peu luisante de mon poignet, à ma manche de chemise retroussée jusqu'au coude.

Mr Gunnell a répondu par écrit qu'il allait suivre mes instructions. Frère Jack n'a jamais répondu.

J'avais constaté — à mes dépens — que les restrictions de stationnement ne s'appliquaient qu'entre dix heures et midi. Probablement pour dissuader les banlieusards de descendre aussi loin en ville avec leur voiture et de la laisser là pour la journée avant de continuer en métro. Alors j'ai décidé de prendre la mienne cette fois : ma Volkswagen Polo, dont les pneus dureraient bien plus longtemps que ceux de Veronica… Après une heure environ de purgatoire sur le périphérique nord, je me suis trouvé en position, garé là où nous l'avions été, face à la légère déclivité d'une rue de faubourg ; le soleil de cette fin d'après-midi révélait la poussière sur une haie de troènes. Des collégiens rentraient par petits groupes chez eux, garçons à la chemise hors du pantalon, filles aux jupes d'un provocant minimalisme ; beaucoup parlant dans un portable, certains mangeant, quelques-uns fumant. Quand j'allais au collège, on nous disait que, tant qu'on portait l'uniforme de l'école, on devait se comporter d'une façon qui honorait l'institution. Donc pas question de manger ou boire dans la rue, et tout élève surpris à fumer serait battu. Aucune fraternisation avec le sexe opposé n'était tolérée non plus : l'école des filles jouxtant la nôtre laissait sortir ses élèves un quart d'heure avant la sortie des garçons, leur donnant ainsi le temps de mettre une bonne distance entre elles et leurs prédateurs priapiques. Je me rappelais tout cela, notant les différences, sans rien en conclure. Je n'approuvais ni ne désapprouvais. J'étais indifférent; j'avais suspendu mon droit aux pensées et aux jugements. Tout ce qui m'intéressait, c'était de savoir pourquoi j'avais été amené dans cette rue deux semaines auparavant. Alors j'ai attendu, vitre baissée.

Au bout d'environ deux heures, j'ai renoncé. Je suis revenu le lendemain, et le jour suivant, en vain. Alors je suis allé dans la rue où se trouvaient le pub et le magasin, et je me suis garé à côté. J'ai attendu, fait quelques emplettes dans le magasin, attendu encore, et pris le chemin du retour. Je n'avais pas du tout l'impression de perdre mon temps; au contraire, j'avais le sentiment que c'était à cela qu'il devait maintenant servir. Et, de toute façon, ce magasin se révélait utile. C'était un de ceux où la gamme des produits va de l'alimentation à la quincaillerie. Au cours de cette période, j'ai acheté des légumes et de la poudre pour lave-vaisselle, de la viande en tranches et du papier- toilette; j'ai retiré de l'argent au distributeur, et fait des réserves de bière et de whisky. Au bout de quelques jours, ils ont commencé à m'appeler «l'ami».

À un moment j'ai songé à contacter les services sociaux de l'arrondissement pour demander s'ils avaient un foyer spécialisé dont un des pensionnaires était un homme aux vêtements couverts de badges ; mais je doutais que cela me mènerait quelque part. Je serais bien embêté par leur première question : «Pourquoi voulez-vous le savoir?» Je ne savais pas pourquoi je voulais le savoir. Mais, comme je disais, je n'avais aucun sentiment d'urgence. C'était comme de ne pas trop forcer le cerveau à retrouver un souvenir. Si je ne forçais pas trop… quoi?… le temps, quelque chose, peut-être même une solution, pourrait finir par apparaître.

Et de fait, finalement, je me suis souvenu de mots que j'avais entendus : «Non, Ken, pas de pub ce soir. Le pub, c'est le vendredi.» Alors le vendredi suivant j'y suis allé et je m'y suis assis avec un journal. Le William IV était un de ces pubs embourgeoisés par nécessité économique. Il y avait une carte avec des ceci et cela grillés, une télé diffusant en sourdine les actualités de la BBC, et des tableaux noirs partout : un qui annonçait la soirée «jeu de questions» hebdomadaire, un autre, la réunion mensuelle du cercle de lecture, un troisième, les rencontres sportives télévisées à venir, tandis que, sur un quatrième, était tracée à la craie une pensée du jour épigrammatique, sans doute transcrite de quelque recueil de bons mots et d'adages. J'ai bu lentement des demis en faisant les mots croisés du journal, mais personne n'est venu.

Le deuxième vendredi, je me suis dit, autant dîner ici, alors j'ai commandé du colin grillé avec ce que la carte appelait des «frites coupées à la main», et un grand verre de sauvignon blanc chilien. Ce n'était pas mauvais du tout. Et puis, le troisième vendredi, alors que j'enfournais mes *penne* au gorgonzola avec une sauce aux noix, sont entrés l'homme de guingois et le moustachu. Ils ont pris place en habitués à une table, sur quoi le barman, manifestement habitué de son côté à leur servir ce qu'ils voulaient, leur a apporté à chacun une chope de *bitter*, qu'ils se sont mis à siroter pensivement. Ils ne regardaient pas autour d'eux, évitaient plus encore de croiser des regards; et, en retour, personne ne faisait attention à eux. Au bout d'une vingtaine de minutes, une femme noire à l'air maternel est entrée, s'est approchée du bar, a payé, puis a escorté doucement les deux hommes vers la porte. Je n'ai fait qu'observer et attendre. Le temps jouait en ma faveur, oui. Les chansons disent parfois la vérité.

Je devenais un habitué moi-même, au pub comme dans le magasin. Je ne me joignais pas au cercle de lecture, ni ne participais au jeu hebdomadaire, mais je m'asseyais régulièrement à une petite table près de la fenêtre et parcourais la carte. Qu'espérais-je? Probablement engager la conversation à un moment ou à un autre avec le jeune travailleur social que j'avais vu accompagner le petit groupe ce premier après-midi; ou même, peut-être, avec l'homme aux badges, qui semblait le plus affable et abordable. J'étais patient sans avoir le sentiment de l'être; je ne comptais plus les heures. Et puis, un jour en début de soirée, je les ai vus venir dans la rue tous les cinq, escortés par la même femme noire. Je n'aurais guère pu en être surpris. Les deux habitués sont entrés dans le pub ; les trois autres sont allés dans le magasin avec l'accompagnatrice.

Je me suis levé, laissant mon Bic et mon journal sur la table pour indiquer que j'allais revenir. À l'entrée du magasin, j'ai pris un panier en plastique jaune, puis j'ai déambulé lentement à l'intérieur. Au bout d'une allée, je les ai vus tous les trois devant une étagère de liquides vaisselle, débattant gravement du choix à faire. L'allée était étroite, et j'ai dit assez fort «Pardon» en approchant d'eux. Le gars dégingandé aux lunettes s'est aussitôt détourné et s'est plaqué contre un rayon d'articles ménagers, et tous trois se sont tus. Quand je suis passé près d'eux, l'homme aux badges m'a regardé bien en face. «Bonsoir», lui ai-je dit en souriant. Il a continué de me regarder, puis a fait son petit salut de la tête. Je m'en suis tenu là et je suis retourné dans le pub.

Quelques minutes plus tard, ils sont venus se joindre aux deux buveurs, et la femme noire est allée commander des boissons au bar. J'étais frappé par le fait que, alors qu'ils avaient été bruyants comme des enfants dans la rue, ils étaient timides et chuchotaient dans le magasin et le pub. Des boissons gazeuses ont été apportées aux nouveaux venus. J'ai cru entendre le mot «anniversaire» mais j'ai peut-être mal compris. J'ai décidé que c'était le moment de commander un repas. En allant vers le bar, je passerais forcément à côté d'eux. Je n'avais pas de plan bien défini. Les trois qui étaient venus du magasin étaient encore debout, et ils se sont légèrement tournés vers moi en me voyant approcher. J'ai lancé un autre joyeux «Bonsoir!» à l'homme aux badges, qui a réagi de la même façon. Le gars dégingandé était maintenant devant moi et, au moment de passer près de lui, je me suis arrêté et je l'ai mieux regardé. Il avait dans les quarante ans ; un bon mètre quatre-vingts, un teint pâle, des lunettes à verres épais. Je sentais qu'il avait envie de tourner encore le dos. Mais au lieu de ça, il a fait quelque chose d'inattendu : il a ôté ses lunettes, et m'a regardé à son tour bien en face. Ses yeux étaient marron et doux.

Presque sans réfléchir, je lui ai dit posément : «Je suis un ami de Mary.»

Je l'ai vu d'abord commencer à sourire, puis s'affoler. Il s'est détourné, a émis un gémissement assourdi, s'est rapproché de la femme indienne et a pris sa main. J'ai continué d'avancer jusqu'au bar, posé une fesse sur un tabouret, et commencé à examiner la carte. Quelques instants plus tard, j'ai pris conscience de la présence de la femme noire à côté de moi.

«Je suis désolé, ai-je dit. J'espère que je n'ai rien fait de mal.

— Je ne sais pas trop, a-t-elle répondu. Ce n'est pas très bon de lui causer des émotions. Surtout en ce moment.

— Je l'ai rencontré une fois, avec Mary quand elle est venue un après-midi. Je suis un ami de Mary.»

Elle m'a regardé, comme pour essayer d'évaluer mes motivations et mon degré de fiabilité.

«Alors vous comprendrez, a-t-elle dit doucement, n'est-ce pas?

— Oui, je comprends.»

Et le fait est que je comprenais. Je n'avais pas besoin de parler à l'homme aux badges ou au jeune travailleur social. Maintenant je savais.

Je le voyais aux traits de son visage. Ce n'est pas si souvent vrai, n'est-ce pas? En tout cas, pas pour moi. Nous écoutons ce que les gens disent, nous lisons ce qu'ils écrivent — ce sont nos preuves, c'est notre corroboration. Mais si le visage contredit les paroles ou les mots, nous interrogeons le visage. Un regard fuyant, une soudaine rougeur, l'incontrôlable contraction d'un muscle de la face — et nous savons. Nous reconnaissons l'hypocrisie ou le mensonge, et la vérité nous apparaît plus clairement.

Mais c'était différent, plus simple. Il n'y avait pas de contradiction — je le voyais simplement à son visage : la couleur des yeux et l'expression du regard, la pâleur des joues et leur structure sous-jacente. La confirmation venait de sa taille, et de la manière dont ses os et ses muscles s'accordaient à cette taille. C'était le fils d'Adrian. Je n'avais pas besoin d'acte de naissance ou de test

ADN — je le voyais et le sentais. Et, bien sûr, les dates concordaient : il aurait bien à peu près cet âge maintenant.

Ma première réaction a été, je l'avoue, égocentrique. Je n'ai pu éviter de me rappeler ce que j'avais écrit dans la partie de ma lettre adressée à Veronica : «C'est juste une question de savoir si tu peux tomber enceinte avant qu'il ne découvre quelle raseuse tu es.» Je n'avais même pas pensé ça d'elle à l'époque — j'essayais seulement de trouver une façon de la blesser. En fait, tout le temps où j'étais sorti avec elle, je l'avais trouvée ceci ou cela — séduisante, mystérieuse, réprobatrice —, mais jamais ennuyeuse. Et même lors de mes démêlés plus récents avec elle, s'il est vrai que les épithètes auraient pu être mises à jour — exaspérante, entêtée, hautaine, et pourtant encore, d'une certaine façon, séduisante —, je ne l'avais pas trouvée ennuyeuse. De sorte que c'était aussi faux que blessant.

Mais ce n'était pas tout. Quand j'avais essayé de leur faire du mal, j'avais aussi écrit : «Une partie de moi-même espère que vous aurez un enfant, parce que je crois fermement à la vengeance du temps. Mais la vengeance doit s'abattre sur ceux qui le méritent, c'est-à-dire vous deux.» Et puis : «Alors je ne vous souhaite pas ça. Il serait injuste d'infliger à quelque fœtus innocent la perspective de découvrir qu'il était le fruit de vos entrailles, si vous voulez bien excuser le cliché poétique.» Le remords, étymologiquement, est l'action de re-mordre : c'est ce qu'on ressent. Imaginez la force de la morsure quand j'ai relu mes mots… C'était comme une ancienne malédiction que je ne me souvenais même pas d'avoir prononcée. Bien sûr je ne crois — ne croyais — pas aux malédictions. C'est-à-dire, au pouvoir qu'auraient certains mots de provoquer des événements. Mais le fait même de nommer quelque chose qui se produit plus tard — de vouloir un mal spécifique et puis de constater un jour que cela s'est réalisé — a quelque chose d'un peu surnaturel. Le fait que le jeune *moi* qui avait proféré la malédiction, et le vieux *moi* qui en voyait le résultat, avaient des sentiments très différents, était monstrueusement hors de propos. Si, juste avant que tout cela ne commence, on m'avait dit qu'Adrian, au lieu de se tuer, avait contre toute évidence épousé Veronica, qu'ils avaient eu un enfant ensemble, puis peut-être d'autres, puis des petits-enfants, j'aurais répondu : «Très bien, à chacun sa vie ; vous êtes allés de votre côté, et moi du mien, sans rancune…» Et maintenant ces vains clichés se heurtaient à l'inébranlable réalité de ce qui s'était passé. La vengeance du temps s'abattant sur l'innocent fœtus. Je pensais à ce pauvre homme diminué se détournant de moi dans le magasin et pressant son visage contre des paquets géants de papier hygiénique pour éviter ma présence. Eh bien, son instinct ne l'avait pas trompé : j'étais un homme auquel il était juste de tourner le dos. Si la vie récompense bien chacun selon son mérite, je méritais d'être évité.

Quelques jours seulement plus tôt je m'étais laissé aller à un vague fantasme au sujet de Veronica, tout en reconnaissant que je ne savais rien de sa vie depuis plus de quarante ans. À présent j'avais quelques réponses aux questions que je n'avais pas posées. Elle était tombée enceinte des œuvres d'Adrian, et — qui sait? — peut-être le traumatisme de son suicide avait-il affecté l'enfant dans son ventre. Elle avait donné naissance à un fils qui avait à un moment ou à un autre été médicalement reconnu comme… quoi? comme un être incapable de vivre par lui-même dans la société et ayant constamment besoin d'un soutien affectif et financier. Je me demandais quand ce diagnostic avait été établi. Peu après la naissance? Ou y avait-il eu un répit de quelques années, pendant lesquelles Veronica avait pu trouver un certain réconfort dans ce qui avait été sauvé du naufrage? Mais ensuite — pendant combien de temps avait-elle sacrifié sa vie pour lui, prenant peut-être quelque minable emploi à temps partiel lorsqu'il était encore dans une école spécialisée? Et puis, vraisemblablement, la tâche était devenue plus lourde à mesure qu'il grandissait, la lutte trop épuisante, et elle avait dû se résoudre à ce qu'il soit complètement pris en charge. Imaginez ce qu'elle avait dû ressentir alors; imaginez le sentiment de perte, d'échec, de culpabilité. Et moi qui me plaignais quand ma fille oubliait parfois de m'envoyer un mail… Je me souvenais aussi des pensées ingrates que j'avais eues depuis que j'avais revu Veronica sur le pont branlant. Je la trouvais un peu négligée et hirsute ; je pensais qu'elle était difficile, inamicale, sans charme. En réalité, j'avais de la chance qu'elle ait accepté de me revoir. Et j'avais espéré qu'elle me remettrait le journal d'Adrian ? À sa place, je l'aurais probablement brûlé aussi, comme je pensais maintenant qu'elle l'avait fait.

Il n'y avait personne à qui il me serait possible d'en parler — pas avant un bon moment. Comme disait Margaret, c'était ma vie maintenant — et cela devait l'être en effet. Notamment parce que j'avais tout un pan de mon passé à réévaluer, sans rien d'autre que le remords pour compagnie. Et, après avoir reconsidéré la vie et la personnalité de Veronica, il me faudrait aussi reconsidérer celles d'Adrian. Mon ami philosophe, qui, jaugeant l'existence, estimait que tout être pensant responsable devait avoir le droit de rejeter ce don non demandé — et dont le noble geste soulignait, chaque décennie un peu plus, le compromis et la médiocrité à quoi se résument la plupart des vies. « La plupart des vies » : ma vie.

Cette image de lui — ce reproche vivant d'un mort envers moi et le reste de mon existence — était donc maintenant renversée. « Diplôme de première classe, suicide de première classe », avions-nous été d'accord pour dire, Alex et moi.

Quelle sorte d'Adrian avais-je à présent? Un garçon qui avait engrossé sa petite amie, avait été incapable d'en assumer les conséquences et avait choisi la «solution de facilité», comme ils disaient. Non qu'il puisse y avoir quelque chose de facile dans cette ultime assertion d'individualité contre la grande généralité qui l'opprime... Cependant il me fallait réévaluer aussi Adrian, réduire le partisan du refus citant Camus, pour qui le suicide était la seule vraie question philosophique, à... quoi donc? Rien de plus qu'une version de Robson, qui «n'était pas vraiment du genre à être tourmenté par Éros et Thanatos», comme avait dit Alex, lorsque cet élève jusque-là peu remarquable de terminale scientifique avait quitté ce monde en laissant un mot qui disait «Pardon, maman».

À l'époque, nous nous étions demandé tous les quatre quelle idée nous nous faisions de sa copine — de *vierge sage* à *putain vérolée*. Aucun de nous n'avait pensé à l'enfant, ni à l'avenir. Maintenant, pour la première fois, je me demandais ce qui était arrivé à cette copine de Robson, et à leur enfant. La mère aurait à peu près mon âge, si elle vivait encore, comme c'était probable, et l'enfant, pas très loin de cinquante ans. Croyait-il encore que «papa» était mort dans un accident? Peut-être avait-il été confié à des parents adoptifs, et grandi en se croyant non désiré. Mais de nos jours les enfants adoptés ont le droit de rechercher leur vraie mère. J'imaginais de telles retrouvailles, et la scène empreinte d'embarras mais poignante qui avait pu en résulter. J'aurais voulu, même à cette distance, m'excuser auprès de la petite amie de Robson pour la manière futile dont nous avions parlé d'elle, sans penser à sa souffrance et à sa honte. Une part de moi-même voulait lui demander d'excuser nos fautes d'autrefois — même si elle n'en avait pas eu conscience alors.

Mais penser à Robson, et à sa petite amie, n'était qu'une façon d'éluder ce qui était maintenant la vérité au sujet d'Adrian. Robson avait eu quinze, seize ans ? Il vivait encore chez ses parents, qui n'étaient sans doute pas précisément libéraux. Et si sa copine avait alors moins de seize ans, il aurait pu y avoir une accusation de viol aussi. Ce n'était donc pas comparable, en fait. Adrian était plus âgé, avait quitté le foyer parental, et était bien plus intelligent que le pauvre Robson. En ce temps-là, si on engrossait une fille, et si elle ne voulait pas avorter, on l'épousait : c'étaient les règles. Et pourtant Adrian n'avait même pas pu envisager cette solution conventionnelle. «Tu crois que c'était parce qu'il était trop intelligent ?» avait demandé ma mère, d'une façon irritante. Non, rien à voir avec l'intelligence ; et encore moins avec le courage moral. Il n'avait pas noblement refusé un don existentiel ; il avait peur du landau dans le vestibule.

Que savais-je de la vie, moi qui avais vécu si prudemment ? Qui n'avais ni gagné ni perdu, mais seulement laissé la vie s'imposer à moi ? Qui avais eu les ambitions habituelles et ne m'étais que trop vite résigné à ne pas les voir se réaliser ? Qui évitais d'être blessé et appelais ça une aptitude à la survie ? Qui payais mes factures, restais autant que possible en bons termes avec chacun, et pour qui l'extase et le désespoir n'étaient plus guère que des mots lus dans des romans ? Quelqu'un dont les reproches qu'il s'adressait n'étaient jamais très douloureux ? Eh bien, il y avait tout cela à quoi réfléchir, tandis que j'endurais une sorte particulière de remords : une souffrance infligée enfin à quelqu'un qui avait toujours cru savoir comment éviter de souffrir — et infligée précisément pour cette raison.

« Dehors ! » avait ordonné Veronica, après être montée sur le trottoir à trente kilomètres heure. Maintenant je donnais à ce mot une plus ample résonance : « Hors de ma vie, je n'ai jamais voulu te revoir de toute façon, je n'aurais jamais dû accepter cette première rencontre, et moins encore ce déjeuner, et moins encore de t'emmener voir mon fils. Dehors, dehors ! »

Si j'avais eu son adresse, je lui aurais envoyé une vraie lettre. J'ai intitulé mon courriel « Excuses », puis j'ai mis « EXCUSES », mais cela avait l'air trop criard, alors je suis revenu à la première option. Cela ne pouvait être que simple.

Chère Veronica,

Je me rends compte que je suis probablement la dernière personne que tu as envie d'entendre, mais j'espère que tu liras ce message jusqu'au bout. Je n'attends pas de réponse. Mais j'ai passé quelque temps à réévaluer les choses, et je voudrais te présenter mes excuses. Je ne m'attends pas à ce que tu aies une meilleure opinion de moi — mais, de toute façon, tu ne pourrais guère en avoir une plus mauvaise. Cette lettre de ma main était impardonnable. Tout ce que je peux dire, c'est que mes vilains mots étaient l'expression d'un moment. Cela a été un vrai choc pour moi de les relire après toutes ces années.

Je ne m'attends pas non plus à ce que tu me remettes le journal d'Adrian. Si tu l'as brûlé, eh bien voilà. Sinon, de toute évidence, puisqu'il a été écrit par le père de ton fils, il t'appartient. Je me demande pourquoi ta mère me l'a laissé dans son testament, mais peu importe.

Je regrette d'avoir été si contrariant. Tu essayais de me montrer quelque chose, et j'étais trop obtus pour comprendre. J'aimerais vous souhaiter, à ton fils et à toi, une vie paisible, dans la mesure où c'est possible dans cette situation. Et si, à n'importe quel moment, je peux faire quelque chose pour l'un de vous, j'espère que tu n'hésiteras pas à me le dire.

Bien à toi,

Tony

C'était le mieux que je puisse faire. Ce n'était pas aussi bien que je l'avais voulu, mais au moins j'en pensais chaque mot. Je n'avais pas de plan caché. Je n'en espérais secrètement rien. Ni un journal, ni une bonne opinion de Veronica, ni même une acceptation de mes excuses.

Je ne peux dire si je me suis senti mieux ou pas après cet envoi. Je me sentais surtout épuisé, vidé. Je n'éprouvais pas le désir de parler à Margaret de ce qui s'était passé. Je pensais plus souvent à Susie, et à la chance qu'a tout parent quand un enfant naît avec quatre membres, un cerveau normal, et la structure psychique et affective qui permet au garçon ou à la fille de mener la vie qui lui convient. «Puisses-tu être ordinaire», comme le poète l'a souhaité au nouveau-né.

Ma vie continuait. Je recommandais des livres aux malades de l'hôpital, aux convalescents, aux mourants. J'en lisais parfois un moi-même. Je sortais mes déchets à recycler. J'ai écrit à Mr Gunnell pour lui demander de laisser tomber l'affaire du journal d'Adrian. Un jour en fin d'après-midi, l'idée m'a pris de refaire le trajet par le périphérique nord, et là-bas j'ai fait quelques emplettes et dîné au William IV. On m'a demandé si j'étais parti en vacances. Dans le magasin j'ai répondu oui, dans le pub non. Les réponses ne semblaient guère avoir d'importance. Pas grand-chose n'en avait. Je pensais aux choses qui m'étaient arrivées au fil des années, et au peu dont j'étais moi-même la cause.

D'abord j'ai cru que c'était un vieux mail, renvoyé par erreur. Sous mon intitulé : «Excuses», mon message n'avait pas été effacé. Sa réponse disait : «Tu ne piges toujours pas. Tu n'as jamais pigé, et tu ne pigeras jamais. Alors n'essaie même plus.»

J'ai laissé ces mots dans ma boîte de réception et je les ai relus de temps en temps. Si je n'avais pas opté pour l'incinération et la dispersion des cendres, j'aurais pu m'en inspirer pour une épitaphe gravée dans la pierre ou le marbre : «Tony Webster — Il n'a jamais pigé.» Mais ç'aurait été trop mélodramatique, et même relevé de l'apitoiement sur soi. *Quid* de : «C'est sa vie maintenant»? Ce serait mieux, plus vrai quoique ironique. Ou peut-être m'en tiendrais-je à : «Chaque jour est un dimanche.»

De temps à autre, je retournais en voiture au magasin et au pub. C'étaient des endroits où j'éprouvais toujours un sentiment de calme, si curieux que cela paraisse ; et aussi un certain sentiment d'avoir un but, peut-être le dernier vrai but de ma vie. Comme auparavant, je ne pensais jamais que je perdais mon temps. C'était à cela que mon temps pouvait aussi bien servir. Et c'étaient des lieux amicaux — en tout cas, plus amicaux que leurs équivalents de mon quartier. Je n'avais pas de plan : quoi de nouveau ? Cela faisait belle lurette que je n'avais pas eu de «plan». Et mon regain de sentiment — si c'était bien ce que ç'avait été — pour Veronica ne pouvait guère être considéré comme un *plan*. Plutôt comme une brève impulsion morbide, un appendice à une courte histoire d'humiliation.

Un jour, j'ai dit au barman : «Pensez-vous que vous pourriez me faire des frites fines pour changer?

— Comment ça?

— Vous savez, comme en France… plus fines.

— Non, on ne fait pas ça.

— Mais votre menu dit "frites coupées à la main".

— Oui.

— Eh bien, ne pouvez-vous pas les couper plus fines?»

L'habituelle affabilité du barman a marqué une pause. Il m'a regardé comme s'il hésitait à voir en moi un pinailleur ou un idiot, ou peut-être bien les deux.

«"Frites coupées à la main" signifie "grosses frites".

— Mais si vous les coupez à la main, ne pourriez-vous pas les couper plus fines?

— On ne les coupe pas. Elles arrivent comme ça.

— Vous ne les coupez pas vous-même?

— C'est ce que j'ai dit.

— Alors ce que vous appelez "frites coupées à la main", ce sont en réalité des frites coupées ailleurs, et sans doute par une machine?

— Vous êtes un inspecteur des fraudes ou quoi?

— Pas du tout. Je suis seulement intrigué. Je

ne savais pas que "coupées à la main" signifie "grosses" plutôt que "nécessairement coupées à la main".

— Eh bien, vous le savez maintenant.

— Excusez-moi. Je n'avais pas pigé.»

J'ai battu en retraite vers ma table et attendu mon dîner.

Et puis, juste comme ça, ils sont entrés tous les cinq, avec le jeune accompagnateur que j'avais vu de la voiture de Veronica. L'homme en tweed s'est arrêté une seconde en passant près de ma table, et m'a fait son petit salut de la tête ; quelques badges sur son couvre-chef à la Sherlock Holmes ont tinté légèrement en se heurtant. Les autres le suivaient ; quand le fils d'Adrian m'a vu, il a tourné une épaule comme pour me tenir — et tenir le mauvais sort — à distance. Ils sont allés tous les cinq au fond du pub, mais ne se sont pas assis. Le jeune travailleur social est allé commander des boissons au bar.

Mon colin grillé et mes frites sont arrivés, les secondes servies dans un plat en métal garni de papier journal. Peut-être souriais-je à part moi quand le jeune homme s'est approché de ma table.

«Puis-je vous parler un instant ?

— Bien sûr.»

Je lui ai fait signe de s'asseoir en face de moi. Tandis qu'il prenait place, j'ai remarqué, par-dessus son épaule, que les cinq autres me regardaient, leur verre à la main, sans boire.

«Terry.

— Tony.»

Nous nous sommes serré la main de cette façon un peu gauche — le coude un peu trop haut — qu'impose le fait d'être assis. Il est d'abord resté silencieux.

«Frites? ai-je suggéré.

— Non, merci.

— Saviez-vous que quand ils mettent "coupées à la main" sur un menu, ça veut seulement dire "grosses", et non qu'elles sont vraiment coupées à la main?»

Il m'a regardé à peu près comme le barman l'avait fait.

«C'est au sujet d'Adrian...

— Adrian», ai-je répété. Pourquoi ne m'étais-je jamais demandé quel prénom on lui avait donné? Et quel autre prénom aurait-on pu lui donner?

«Votre présence le trouble.

— Je suis désolé, ai-je dit. Je ne veux surtout pas le troubler. Je ne veux plus troubler personne. Plus *jamais*.» Il m'a regardé comme s'il soupçonnait quelque ironie. «Pas de problème. Il ne me reverra pas. Je vais finir mon repas et m'en aller, et aucun de vous ne me reverra jamais.»

Il a hoché la tête. «Puis-je vous demander qui vous êtes?»

Qui je suis? «Bien sûr. Mon nom est Tony Webster. J'ai été un ami du père d'Adrian autrefois. J'étais au lycée avec lui. Je connaissais aussi la mère d'Adrian, Veronica. Très bien. Puis on s'est perdus de vue. Mais on s'est pas mal revus au cours des dernières semaines. Non, derniers mois, devrais-je dire.

— Semaines et mois?

— Oui… Mais je ne reverrai pas Veronica non plus. Elle ne veut plus me connaître.» J'essayais de donner à mes paroles un caractère factuel, plutôt que pathétique.

Il m'a regardé un moment. «Vous comprenez que nous ne pouvons pas parler du passé des personnes dont nous nous occupons. C'est une question de confidentialité.

— Naturellement.

— Mais ce que vous venez de dire n'a aucun sens.»

J'ai réfléchi à ça. «Ah… Veronica… oui, pardon. Je me souviens qu'il… Adrian… l'a appelée Mary. Je suppose que c'est le nom qu'elle se donne avec lui. C'est son deuxième prénom. Mais je la connaissais… la connais… sous le nom de Veronica.»

Je les voyais tous les cinq par-dessus son épaule, attendant anxieusement et nous regardant, toujours sans boire. Je me sentais honteux que ma présence les perturbe ainsi.

«Si vous étiez un ami de son père…

— Et de sa mère.

— … alors je pense que vous ne comprenez pas.» Au moins il le formulait autrement que d'autres.

«Je ne comprends pas?

— Mary n'est pas sa mère. C'est sa sœur. La mère d'Adrian est morte il y a environ six mois. Il en a été très affecté. C'est pourquoi il a... quelques problèmes en ce moment.»

Machinalement, j'ai mangé une frite. Puis une autre. Elles n'étaient pas assez salées. C'est l'inconvénient des grosses frites. Il y a trop de pomme de terre. Non seulement les frites fines sont plus croustillantes, mais le sel est mieux réparti.

Je ne pouvais que tendre la main à Terry et répéter ma promesse. «Et j'espère que tout ira bien pour lui. Je suis sûr que vous vous occupez très bien de lui. Ils ont l'air assez en forme tous les cinq.»

Il s'est levé. «Eh bien, nous faisons de notre mieux, mais nous sommes touchés par des restrictions budgétaires presque chaque année.

— Bonne chance à vous tous, ai-je dit.

— Merci.»

Quand j'ai réglé l'addition, j'ai laissé le double du pourboire habituel. Au moins c'était une façon d'être utile.

Et plus tard, chez moi, en repensant à tout ça, au bout d'un moment, j'ai compris. J'ai pigé. Pourquoi Mrs Ford avait eu le journal d'Adrian en premier lieu. Pourquoi elle m'avait écrit : «P.-S. Cela peut sembler étrange, mais je pense que les derniers mois de sa vie ont été heureux.» Ce que la femme noire avait voulu dire par : «Surtout en ce moment.» Même ce que Veronica voulait dire par «le prix du sang». Et, enfin, de quoi parlait Adrian sur la page que j'avais été autorisé à lire. «Ainsi comment pourrait-on exprimer une accumulation contenant les variables b, a^1, a^2, s, v?» Puis deux formules exprimant de possibles accumulations. C'était évident maintenant. Le premier a était Adrian; et l'autre était moi, Anthony — comme il avait coutume de m'appeler quand il voulait me ramener à plus de sérieux. Et b signifiait «bébé». Un enfant que sa mère — «la Mater» — avait eu à un âge dangereusement tardif; un être diminué en conséquence. Qui était maintenant un homme de quarante ans, perdu dans son chagrin. Et qui appelait sa sœur Mary. Je regardais la chaîne de responsabilité. J'y voyais mon initiale. Je me rappelais que, dans ma vilaine lettre, j'avais incité Adrian à aller s'entretenir avec la mère de Veronica. Je me répétais les mots qui allaient me hanter à jamais. Comme allait me hanter la phrase interrompue d'Adrian. «Ainsi, par exemple, si Tony…» Je savais que je ne pouvais plus rien changer ni réparer maintenant.

On approche de la fin de la vie — non, pas de la vie elle-même, mais d'autre chose : la fin de toute probabilité de changement dans cette vie. On a droit à un long moment de réflexion, assez long pour se poser la question : quelle autre erreur ai-je pu commettre? Je pensais à un petit groupe d'étudiants, jadis, Trafalgar Square. Je pensais à une jeune fille dansant, pour une fois dans sa vie. Je pensais à ce que je ne pouvais savoir ou comprendre, à tout ce qui ne pourrait jamais être su ou compris. Je pensais à cette définition de l'Histoire qu'avait donnée Adrian. Je pensais à son fils pressant son visage contre des paquets de papier-toilette pour m'éviter. Je pensais à une femme faisant négligemment frire des œufs, sans se soucier d'un jaune percé coulant dans la poêle; puis à la même femme, plus tard, faisant un discret geste horizontal, sous une glycine ensoleillée. Et je pensais à une vague déferlante éclairée par la lune, passant très vite et disparaissant vers l'amont du fleuve, poursuivie par une bande d'étudiants poussant des cris et brandissant des torches dont les faisceaux s'entrecroisaient dans l'obscurité.

Il y a l'accumulation. Il y a la responsabilité. Et, au-delà, il y a un trouble. Il y a un grand trouble.

DU MÊME AUTEUR

Au Mercure de France

ENGLAND, ENGLAND (Folio n° 3604)
DIX ANS APRÈS (Folio n° 3898)
QUELQUE CHOSE À DÉCLARER (Folio n° 4242)
UN HOMME DANS SA CUISINE (Folio n° 4625)
LA TABLE CITRON (Folio n° 4539)
ARTHUR & GEORGE (Folio n° 4793)
RIEN À CRAINDRE (Folio n° 5070)
PULSATIONS (Folio n° 5510)
UNE HISTOIRE DU MONDE EN 10 CHAPITRES 1/2
   (Folio n° 5612)
UNE FILLE, QUI DANSE (Folio n° 5778)
QUAND TOUT EST DÉJÀ ARRIVÉ

Aux Éditions Gallimard

LETTRES DE LONDRES (CHOIX)/LETTERS FROM
   LONDON (SELECTED LETTERS) (Folio Bilingue n° 133)

Aux Éditions Denoël

AVANT MOI (Folio n° 2505)
LOVE, ETC., prix Femina étranger (Folio n° 2632)
LE PORC-ÉPIC (Folio n° 2716)
METROLAND (Folio n° 2987)
LETTRES DE LONDRES (Folio n° 3027)
OUTRE-MANCHE (Folio n° 3285)

Aux Éditions Stock

LE SOLEIL EN FACE
LE PERROQUET DE FLAUBERT, prix Médicis de l'Essai

COLLECTION FOLIO

Composition Daniel Collet
Impression Novoprint
à Barcelone, le 3 avril 2014
Dépôt légal : avril 2014

ISBN 978-2-07-045439-6./Imprimé en Espagne.

254419